50 Scénarios
pour nuits torrides

Directrice : Catherine Saunier-Talec

Responsable éditoriale : Tatiana Delesalle-Féat

Édition : Marion Turminel

Responsable artistique : Antoine Béon

Conception graphique : Nicole Dassonville

Lecture-correction : Paula Lemaire

Fabrication : Amélie Latsch

L'éditeur remercie Laura Fidler pour son aide précieuse et efficace.

SANDRINE CHATRENE

50 Scénarios pour nuits torrides

hachette
LOVE

À mon mari,
Complice de mes nuits torrides,
Qui m'a inspiré ces scénarios et même,
Qui m'a soufflé certains épisodes.

50 scénarios pour nuits torrides

Mode d'emploi. Dans *50 scénarios pour nuits torrides*, nous allons vous faire découvrir la romance érotique.

Nous allons vous raconter des histoires. Des histoires d'amour, de sexe, de désir, de jeu et de fantasmes. Des histoires surprenantes, tantôt romantiques, tantôt crues, et souvent les deux à la fois. Des histoires qui vont vous prendre par les sentiments pour vous faire découvrir des lieux, des situations, des personnages, des rapports amoureux propres à vous inspirer sous la couette. Bref, des histoires dans lesquelles vous pourrez puiser le matériel de VOS nuits torrides.

Pour ce faire, trois options s'offrent à vous.

Option préliminaire : lire ou faire lire ces histoires pour se mettre en condition optimale, s'émoustiller avant de passer aux choses sérieuses.

Option passage à l'acte : introduire certains scénarios dans le rapport amoureux, s'inspirer directement des scènes décrites pour les reproduire plus ou moins à l'identique.

Option fantasme : rebondir sur les situations exposées pour créer ses propres scénarios et avancer vers la réalisation de ses propres fantasmes.

À la fin de chaque chapitre, de chaque histoire, ce sera à vous de jouer à partir des idées de scénarios que nous vous aurons proposées, soit 50 en tout. *Bonnes lectures et bonnes nuits (torrides, forcément !)*

Sex and
the Artist

Giselle

Giselle attendait sa patronne à l'entrée du studio de télévision, tapotant nerveusement de son stylo les dossiers de presse qu'elle tenait dans les mains. Autour d'elle bruissait une ruche hyperactive de journalistes, animateurs, coiffeurs, maquilleurs, stylistes qui la croisaient au pas de charge, sans lever les yeux de leurs affaires, comme si le sort du monde en dépendait. Le chauffeur de salle avait laissé entrer une partie des spectateurs qui s'entassaient dans les couloirs, dissipés comme une classe de collégiens. L'un d'eux avait même réussi à s'échapper et tenait la jambe à une animatrice de télé-achat acculée. Giselle portait autour du cou le casque par lequel elle recevrait, plus tard, les instructions et le timing pour conduire sa vedette sur le plateau. Elle était en effet « nounou de star » ou, plus officiellement, attachée de presse stagiaire chargée d'accompagner l'équipe d'un film lors de sa tournée promotionnelle à Paris. Un job de rêve dont le glamour s'était émoussé au contact de la réalité. Il en est sans doute ainsi de tous les jobs de rêve : ils finissent, tôt ou tard, par devenir des jobs comme les autres, avec leur lot de routine, d'ennui et de contrariétés. Même Kate Winslet avait dit un jour, dans une interview que, certains matins, elle n'avait pas envie de se lever pour aller marcher dans une eau glacée au bras de Leonardo DiCaprio, c'est dire ! Et puis les vedettes américaines, qui représentaient l'essentiel de la clientèle dont Giselle s'occupait, étaient d'un professionnalisme presque effrayant, laissant peu de place à la spontanéité des vraies rencontres. Elles étaient exigeantes mais polies, d'un sang-froid impeccable, jamais un mot plus haut que l'autre, jamais un pas à côté du programme, de vrais cyborgs !

Cependant, l'invité du jour n'était pas un cyborg comme les autres. Il s'agissait de Mike Bender, probablement l'acteur le plus courtisé d'Hollywood, qui n'avait encore en France qu'une notoriété confidentielle, indigne de sa filmographie jonglant adroitement entre superproductions et films d'auteur. Et Mike Bender mettait Giselle dans un état pas très catholique. Elle était bien déterminée à n'en laisser rien paraître et à la jouer aussi cool et sérieuse que d'habitude, discrète petite souris à la disposition de ses maîtres. Cependant, à mesure que s'approchait l'instant où elle serait face à lui, ses mains devenaient moites, son gosier s'asséchait, ses jambes ramollissaient, une boule d'angoisse commençait même à grandir au creux de son ventre et, quand sa patronne débola enfin par la porte battante pour lui annoncer l'arrivée imminente de la star, elle en perdit l'équilibre, laissant choir ses dossiers.

– Ce que vous pouvez être empotée, Giselle, s'agaça la taulière, l'orgueil drapé dans un tailleur, le talon haut, le brushing ouvragé. Et pour l'amour de Dieu, faites un effort de présentation ! N'oubliez pas que vous êtes dans un métier d'image, arrêtez de vous vêtir de fripes, mettez un peu de maquillage, arrangez-vous, que diable !

Elle fila sans plus un mot, sans un regard, indifférente à la réaction de Giselle, laquelle se contenta de rattraper une mèche rebelle et de la replacer dans son chignon, monté à la va-vite et tenu par un simple crayon. Son geste avait quelque chose de pathétique tant les mèches continuaient à lui manger le minois,

qu'elle avait fort joli d'ailleurs. Elle avait de
grands yeux bleu-vert avec de hauts sourcils
qui lui donnaient l'air un peu perdu, voire
apeuré, un nez tout en rondeur et légèrement
retroussé, une bouche finement ourlée avec
une mignonne petite fossette sur le côté qui
se creusait à chaque fois qu'elle était troublée.
Elle ne portait pas de maquillage, certes, mais
elle faisait partie de ces rares personnes dont
le teint, les traits et le rayonnement pouvaient
s'en passer. De même que ses sempiternels
tee-shirts, jeans et Converse – qui constituaient les uniques items de sa garde-robe –
soulignaient sa ligne fluide et gracile sans
avoir recours à d'autres artifices. Elle était le
naturel incarné et ce faisant, dénotait avec la
faune hétéroclite ambiante.

Giselle n'avait pas l'âme d'une groupie, encore
moins maintenant que les stars faisaient son

pain quotidien. Sa capacité à traiter les vedettes comme des personnes normales, tout
en sachant s'inscrire dans un rapport de sub-
tile féodalité, faisait d'elle un élément apprécié
aussi bien par sa hiérarchie que par les stars.
Avec Mike Bender cependant, cette saine
indifférence prenait sérieusement l'eau. Elle
n'avait pas seulement un « petit faible » pour
l'acteur, elle avait avec lui un passif dont l'intéressé ignorait tout, mais qui suffisait à plonger
Giselle dans l'embarras.

Tout avait commencé un soir, quelques semaines auparavant, alors que, vautrée dans
le canapé comme à son habitude, elle zappait
paresseusement. Elle était tombée sur un film
d'auteur, dont Arte avait le secret, qui suivait
le quotidien d'une fille paumée dans une ban-
lieue glauque d'Angleterre. Il s'agissait d'une
scène des plus innocentes où l'amant de la

mère descendait dans la cuisine pour préparer un thé tout en badinant avec la fille. Sauf qu'il était torse nu. Sauf que c'était Mike Bender. Il avait un dos sec et viril qui contrastait avec l'affolante douceur de sa chute de rein, vallonnée comme celle d'une femme. Son torse était un voyage fascinant pour Giselle dont les yeux partaient des rondeurs musclées de ses épaules pour glisser jusqu'au creux de ses reins, en passant par sa taille si filiforme, et rebondissait enfin sur sa croupe dont l'amorce dépassait du pantalon. L'ensemble était un pur appel au sexe. Le reste du film ne fit pas défaut puisque l'acteur germano-irlandais s'y montra nu, dansant, baisant, exhibant toutes les nuances du charmant salaud qu'il incarnait. Giselle fut d'autant plus surprise par son trouble que, non seulement les acteurs ne lui faisaient que peu d'effet, mais sa libido s'activait rarement à travers les corps. Quand elle craquait pour un homme, c'était pour un regard, une attitude, une personnalité, jamais pour un physique. Elle comprit soudain comment les mâles pouvaient perdre la tête face à une fille bien gaulée. Pour un homme aussi « bandant » que Mike Bender, Giselle se sentait elle aussi prête à perdre la tête.

Elle la perdit un peu d'ailleurs, se faisant, en un week-end, la filmographie complète de l'objet de son fantasme, visionnant tout ce qu'il lui fut possible de trouver en France. Du super héros, du psychologique, du froufrou, Mike Bender avait assurément tourné de tout, à poil bien souvent, en frontal parfois ! L'exposition prolongée à ce corps eut pour effet d'érotiser ses rêves, dans lesquels s'insinuait un Mike Bender aux mille doigts et à la verge talentueuse, voués à son seul plaisir. Plus d'une fois elle se réveilla le corps tressaillant et suintant, surprise par un orgasme nocturne d'une intensité qu'elle atteignait rarement en se mélangeant, pour de vrai, à un ordinaire mortel. Mais plus qu'un corps, dont il jouait comme personne, faisant passer tout le destin tragique d'un personnage par un simple ploiement d'épaules, l'acteur avait aussi une tête bien faite. Son visage au repos avait une intensité poignante, mais dès qu'il souriait, tout était balayé, et sa bouche révélait la fraîcheur cristalline d'un enfant joueur. La passion de Giselle prit une telle ampleur qu'elle alla jusqu'à subir au cinéma un film de science fiction, genre qu'elle abhorrait, si dégoutant qu'il faisait passer *Alien* pour *Oui-Oui chez les monstres.* Tout ça pour voir Mike Bender en robot, habillé de pied en cap, se balader deux heures durant avec un manche à balai dans les fesses et finir la tête arrachée dans le sac de l'héroïne, une scientifique qui, par la magie d'Hollywood, transcen-

dait sa vocation de rat de laboratoire en éra-
diquant les envahisseurs, dix minutes après
avoir auto-avorté d'un monstre. Du grand
n'importe quoi ! Mais là n'était pas l'épisode
le plus pénible de son délire. Le pire épisode
s'appelait Paul, son voisin, séducteur un peu
vert, trahi par les relents de lait maternel que
dégageait encore sa trop fraîche chair.

Le week-end dernier, Paul était passé pour
lui demander du sucre. Mais bien sûr ! Il lui
avait déjà fait le coup du sel, du beurre, du lait.
Maintenant, c'était le sucre. Ce soir-là, Giselle
s'était offert une séance bendérienne si trou-
blante qu'elle avait entrepris de préparer une
tarte pour se changer les idées, mais quand
elle se découvrit une volupté nouvelle à pétrir
la pâte, elle comprit que ses efforts seraient
vains. Paul arrivait donc comme la cerise sur
le gâteau. Elle l'accueillit en jean, portant un

débardeur qui laissait échapper une épaule lui-
sant légèrement sous l'effet d'un peu de beurre
accidentellement répandu. Elle ne portait pas
de soutien-gorge, ses seins n'en avaient pas
besoin et pointaient joyeusement sous le tissu. Habituellement, Giselle laissait Paul sur le
pas de la porte et s'empressait de lui rapporter
tantôt du sel, tantôt du beurre, tantôt du lait.
Mais cette fois-ci, elle l'invita à la suivre dans
la cuisine. Le reste de son sucre étant passé
dans sa tarte, elle fouilla dans le placard pour
trouver un paquet de réserve inentamé. Soudain, deux mains vinrent par derrière se pla-
quer sur ses seins, tandis que des lèvres malha-
biles lui bécotaient le cou. Au lieu de répondre
d'une claque bien sentie, Giselle accompagna
le mouvement en mettant ses mains sur celles
du malotru, se cambrant vers l'arrière à la rencontre du membre qui durcissait contre ses
fesses. Elle se retourna, embrassa avec vigueur

un Paul confondu tout en lui ouvrant prestement la ceinture, le bouton et la tirette du pantalon. Elle lui souffla à l'oreille :

– Tu as ce qu'il faut ?
– Euh, ben... j'ai... quoi ?
– Un préservatif. Tu as un préservatif ? insista
Giselle avec impatience.

Paul sorti un préservatif de sa poche arrière,
Giselle le lui prit des mains avant qu'il n'ait le
temps de réagir, déchirant le papier et dérou-
lant le latex sur la verge, heureusement de belle
proportion, faisant preuve d'un doigté paraissant plus expérimenté qu'il ne l'était vraiment.
Paul fonça gauchement sur elle, qui glissa sur
le sol, tenta de s'agripper à la table et entraîna
au passage le paquet de farine qui s'éventra en
tombant. L'espace d'un instant, la cuisine ressemblait à un laboratoire de cocaïne lors d'une

descente de police. Giselle tenta de se dégager de l'emprise de Paul, le bousculant « Non pas comme ça » et se retournant pour qu'il la prenne en levrette. Elle ne voulait pas le voir, ni sentir son corps. Elle ne baisait pas avec Paul, elle lui empruntait sa bite pour servir ses fantasmes. Les mains qui lui agrippaient les fesses devenaient celles de Mike, le pieu qui lui brûlait les entrailles était celui de son héros Super Bandeur. Elle venait à lui, la croupe affamée, réclamant l'orgasme qui allait enfin la combler. Elle se sentit comme déchirée de l'intérieur quand la jouissance déferla : elle lâcha un cri, puis s'affala dans un rictus de plaisir et de souffrance mêlés. Dès qu'elle en fut physiquement capable, elle se releva et arrangea ses vêtements, fuyant Paul du regard, assis par terre, l'œil vitreux, le pantalon toujours aux chevilles. Elle se dirigea vers le placard pour en extraire le fameux paquet de sucre et le lui tendit en disant :

– Tiens, tu peux garder le reste. Tu veux bien
retourner chez toi maintenant ?

Giselle chassa ces images affligeantes de sa
mémoire, aidée par un branle-bas soudain,
signalant l'arrivée de l'équipe du film. Il s'agissait d'une nouvelle adaptation d'un classique
de Charlotte Brontë qu'elle n'avait pas pu voir,
prise en traître par une grippe intestinale. Au
lieu de goûter au corps de Mike Bender dans
une version corsetée à l'ancienne et en format
géant, elle avait passé la soirée au-dessus de la
cuvette des toilettes, à maudire ses entrailles.
La porte battante bascula enfin, poussée par
l'acteur qui avançait d'un pas nonchalant, devi-
sant avec le réalisateur, le sourire facile, désar-
mant et léger comme rarement à l'écran. À l'instant où Giselle vit l'acteur glisser vers elle dans
la plus parfaite indifférence, elle aurait aimé
arrêter le temps, ou du moins le ralentir comme

il est si facile de le faire dans la fiction. Qu'est-ce qu'il était canon ! Certains acteurs perdent de leur superbe sans maquillage et sans caméra mais lui, à l'inverse, possédait dans la vraie vie un rayonnement personnel faisant l'effet du napalm. Rien ni personne ne résistait à son passage. Les femmes, mais les hommes aussi, le regardaient à la dérobée sans forcément le reconnaître. Un moment tétanisée, Giselle se fit violence et s'approcha de lui. Elle lui serra la main et lui tendit sa carte de visite.

– Bonjour, je suis Giselle et je suis là pour vous servir, lança-t-elle, réalisant dans la foulée, en rougissant, l'excès du propos.

– Vraiment ? fit l'acteur, le sourcil narquois et le regard amusé.

– Je veux dire... C'est moi qui vais vous accompagner durant votre intervention. Nous allons d'abord...

– C'est quoi votre petit nom, déjà ?

– Giselle. Nous allons donc d'abord nous diri-
ger vers la loge maquillage, puis...

– Giselle, c'est un nom d'origine germanique,
non ? Qui signifie « épée », si je me souviens
bien... Êtes-vous du genre piquant, Giselle ?

– Je ne sais pas... je veux dire, pour le nom...
Enfin, comme je vous disais...

– Oui, oui, vous allez m'accompagner, dans ma
loge puis sur le plateau, auquel on accède par
la petite porte, là. C'est bien ça ?

– Euh... oui.

– Et bien allons-y !

Malgré ses efforts pour rester dans les rails,
Giselle eut beaucoup de mal à garder sa contenance. Elle avait été à deux doigts de défaillir à
chaque fois qu'il avait prononcé son nom. Elle
continuait à sentir son regard lui échauffer la
nuque tandis qu'ils se dirigeaient vers la loge

maquillage. Leurs échanges se poursuivirent sur un mode plus fonctionnel le temps de l'interview en plateau. Mais Giselle se sentait prise d'une pulsion dangereuse à chaque fois qu'elle s'approchait un peu trop de lui. La tension était si palpable qu'il lui semblait impossible que lui-même ne la ressente pas. Le principe lui paraissait si absurde cependant qu'elle se ressaisissait aussitôt, mettant cette sensation sur le compte d'une érotomanie naissante. Elle fut soulagée une fois son travail terminé, l'équipe de la société de production prenant ensuite le relais. Elle aperçut une dernière fois l'acteur, assis dans la loge, étrangement seul, presque aussi charismatique de dos qu'il l'était de face. Il se passait le visage avec une lingette, geste incongru de sa part... Où était donc passés la maquilleuse et le reste de l'équipe ? Giselle prit cruellement conscience que c'était sans doute la dernière fois qu'elle le verrait.

Dans un sursaut insensé, elle se faufila dans la loge à travers la porte entrouverte. Elle s'était lancée comme on saute du plongeoir de cinq mètres, sans y penser, sans regarder en bas, car une fraction de seconde d'hésitation aurait suffi à la faire reculer. Et maintenant, il lui fallait bien nager. Elle ouvrit la bouche et prononça les premiers mots qui lui vinrent à l'esprit :

– Je tenais à vous dire… Je vous apprécie vraiment beaucoup. Je suis épatée par la façon dont vous vous investissez dans chacun de vos rôles. Et puis, vous avez une façon de jouer avec votre corps je veux dire, une façon de mettre votre corps au service de vos personnages que je trouve géniale. En tout cas, je suis ravie d'avoir pu faire votre connaissance.

Elle s'arrêta net, la mine déconfite, honteuse de son intervention pompeuse. Elle aurait voulu disparaître à l'instant, être avalée par la terre sous ses pieds. L'acteur n'avait pas bougé et la regardait fixement à travers le miroir, dans une expression impossible à déchiffrer. Il fit pivoter sa chaise et lui dit :

– Fermez la porte.

Oh mon Dieu ! Un frisson parcourut l'échine de Giselle, anesthésiant ses membres. Pendant une, deux, trois secondes, elle fut incapable de se mouvoir. Elle avait l'impression qu'elle allait se pisser dessus si elle bougeait d'un cil. Lui, maintenait l'emprise de son regard impérieux. Elle s'exécuta finalement, puis reprit docilement sa position. L'acteur se leva et marcha lentement, très lentement, vers elle. Giselle recula à mesure qu'il avançait, jusqu'à sentir le contact froid du mur dans son dos. Mais l'autre n'était plus qu'à quelques centimètres d'elle, en appui contre le mur par un bras posé au-dessus de sa tête. Elle inhalait son souffle tandis qu'il la fixait droit dans les yeux. « Vous croyez vraiment me connaître ? » commença-t-il en approchant dangereusement sa main du visage de Giselle, restée bouche bée. Qu'allait-il faire ? Elle attendait le prochain mouvement, en priant pour qu'il arrive avant qu'elle ne défaille. Il hésita un court instant, attrapa une mèche tombée sur son visage et la fit glisser derrière son oreille, en poursuivant « Ce n'est pas très juste, car moi je ne sais rien de vous ». Quelqu'un tambourina à la porte de la loge et rompit le charme, il était temps de partir. L'acteur retrouva en une fraction de seconde son quant-à-soi et lui dit en se dirigeant vers la sortie :

– *Venez avec moi.*
– *Mais non, enfin je ne peux pas…*

– *Il est bientôt 22 heures, qu'avez-vous donc de si important à faire ?*

– *Mon travail, je dois récupérer les dossiers.*

– *Je suis sûr que quelqu'un d'autre pourra s'en charger pour vous. Venez avec moi.*

À court d'arguments, elle prit la main qu'il lui tendait, le suivit en pilotage automatique dans les dédales du studio, précédée par l'équipe du film, les assistants et autres gardes du corps. Très vite elle se retrouva seule avec lui à l'arrière d'une voiture au confort capitonné, comme on en voit seulement dans les films et les clips de rap : sièges en cuir, minibar, télévision, une vitre teintée les séparant du chauffeur. Comment diable avait-elle pu atterrir là ? C'était probablement encore un de ses rêves, pourvu alors qu'elle ne se réveille pas, pas maintenant, pas tout de suite. Le silence était absolu. Tous deux regardaient droit devant eux. L'acteur s'approcha de Giselle, suffisamment pour que son genou touche sa jambe. Il lui effleura la main d'un doigt, tandis quelle s'obstinait à regarder droit devant elle. La pression se fit plus franche et il caressa sa main, phalange après phalange, puis l'empauma, faisant glisser ses doigts entre les siens. Il porta ensuite la main à sa bouche, embrassa puis lécha sa paume, pour ensuite insinuer sa langue entre ses doigts. Giselle se laissait faire, en transe, suspendue au moindre de ses mouvements mais incapable d'y répondre. Comme si tout pouvait disparaître en un geste. Soudain, il retourna sa main et la posa sur son sexe. Elle tenait là, sous sa paume, le sexe dur de Mike Bender. La sensation n'aurait pu être plus forte si ce pénis l'avait pénétrée du vagin à la gorge. C'en était trop, elle retira sa main de peur de la voir se consumer mais le feu avait déjà atteint les poudres. L'acteur lui empoigna

le visage, les yeux rivés dans les siens, la forçant à soutenir son regard. « Dis que tu as envie de moi ». Giselle tenta de se dérober mais il
lui tenait fermement la tête. Son visage avait
perdu toute légèreté et reflétait à présent la
force brute du désir. Il insistait : « Dis que tu
as envie de moi ». Dans un souffle, elle répéta :
« J'ai envie de toi ». « Encore ». Et elle répéta,
encore, et encore, jusqu'à ce qu'il la fasse taire
en la dévorant d'un baiser. Sa langue valsait
dans sa bouche tandis qu'il la précipitait sur
la banquette et imprimait de sa main un puissant va-et-vient entre ses jambes. Il aspirait sa
salive tout en pressant sa vulve. Puis, lâchant
tout, il se mit à califourchon, lui ouvrit le jean
et fit glisser sa main à l'intérieur. Bientôt, son
sexe, qu'elle n'osait toujours pas regarder, remplaça sa main. Il s'empala en elle presque immédiatement, encouragé par le bas-ventre de
Giselle qui s'était soulevé en chœur. L'acteur

commença à bouger en elle, la suppliant du regard. Elle tenta de toucher la racine de ces fesses qui l'avaient si souvent troublée en rêve, mais il lui attrapa les mains et les retint puissamment au-dessus de sa tête. Il était penché sur elle, le souffle court, le cheveu fou, la sueur perlant sur son visage, et elle ne pouvait penser qu'à ça, à cette bite, la bite de Mike Bender qui était en elle, à elle, qui la ramonait et la possédait. Il se mit à trembler sur elle, puis déchargea dans un dernier coup de reins, en émettant des râles en saccade, d'abord puissants puis gémissants. La voiture s'immobilisa alors que les deux amants se rhabillaient précipitamment. L'acteur sortit le premier, puis aida Giselle à s'extraire de la voiture en la prenant par le coude, tandis qu'une marée humaine se précipitait sur eux. Collaborateurs, fans, photographes, tous semblaient s'être donné le mot pour accaparer l'acteur à cet endroit et à cet instant précis, l'engloutissant sous les yeux de Giselle. C'était fini, il ne lui appartenait plus. Telle Cendrillon aux douze coups de minuit, elle prit la fuite. Elle se précipita dans la première bouche de métro venue, emportant avec elle, enfoui entre ses jambes, le bonheur fulgurant délivré par le diable en personne caché sous l'habit du prince charmant. Arrivée chez elle, elle s'écroula sur son lit et plongea dans un sommeil comateux, sec et sans rêve.

Le lendemain, Giselle se réveilla avec une drôle de sensation, une douce satisfaction mâtinée d'amertume. Elle savait qu'en le vivant, son fantasme était mort à jamais. Maintenant que l'impensable avait eu lieu, la machine tournait à vide. Ce corps devenu réel échappait à son imagination, ne laissant qu'un souvenir, une trace sur le sable, encore bien présente mais qui peu à peu se diluerait dans les remous de la vie. Elle retourna à l'agence, la page tournée, déterminée cependant à chérir cette copulation secrète dans l'odeur de la sueur et du cuir de voiture jusqu'à ce que sa mémoire lui fasse défaut.

En arrivant, elle fut surprise par un grand carton qui l'attendait, posé sur son bureau, sur lequel louchaient ses collègues, la curiosité piquée au vif. Même si l'agence recevait tous les jours des dizaines de cadeaux et de paquets, il était rare qu'ils soient directement adressés à Giselle et qu'ils aient une telle envergure. Elle ouvrit le carton et déploya délicatement le papier de soie, dévoilant une robe de soirée rouge à fines bretelles. Une enveloppe était posée dessus. Giselle découvrit, à l'intérieur, une invitation pour l'avant-première du film de Mike Bender, accompagnée d'un mot signé de sa main : « J'ai envie de toi » !

Idées de scénarios
à vous de jouer !

1. Se caresser ou faire l'amour en pensant à la personne réelle ou virtuelle qui vous excite le plus, sachant que fantasmer n'est pas tromper.

2. Se laisser gagner par la sensualité et l'érotisme de certaines scènes de films, pas forcément pornographiques.

3. Stimuler son sens visuel par la contemplation décomplexée d'hommes partiellement ou complètement dénudés : calendrier des rugbymen, chippendales, magazines homo…

4. Faire le coup du sucre (ou du sel, du beurre, du lait, de la farine) à son voisin le plus sexy.

5. Varier les positions en amour jusqu'à trouver celle qui soit la plus propice au fantasme et à la montée du plaisir.

6. Donner libre cours aux rêveries érotiques pour se laisser surprendre, le sommeil venu, par un orgasme nocturne.

7. Faire l'amour ailleurs que dans le lit : par terre, contre le mur, sur la table, sur la machine à laver (pendant qu'elle tourne), dans l'escalier, dans la cave, dans le jardin, dans la voiture, dans les transports en commun (arrière de taxi, toilettes d'avion, compartiment de train)...

Pour
le meilleur
et pour
le pire

Éloïse

Assise sur le grand lit de la chambre d'hôtel, la zappette à la main et le regard noyé sans conviction dans une émission de télé-réalité, Éloïse commençait à trouver le temps un peu long. Elle aurait pu mettre à profit ces minutes volées dans son agenda trépidant pour se détendre un peu, mais elle en était bien incapable. Il restait trop à faire dans la préparation du mariage pour qu'elle puisse se permettre de relâcher la pression. Elle était au milieu du guet, dans les préparatifs, mais aussi dans sa vie. Éloïse voulait changer le monde, libérer le peuple de la laideur bétonnée, et elle était en bonne voie pour le faire. Fraîchement diplômée du prestigieux Institut national des sciences appliquées, elle venait d'être recrutée par un cabinet d'architectes reconnu pour ses

projets avant-gardistes en matière de transformation du paysage urbain. La seconde
phase de son plan de vie était également en
passe de se concrétiser, de par son mariage
imminent avec l'homme de sa vie, Pascal.

Elle avait rencontré Pascal lors d'un vernis-
sage. Il lui était apparu tel un Apollon posé là,
très élégant dans son costume mais avec l'œil
affolé de l'enfant que sa maman aurait oublié
dans un coin. Éloïse était allée à sa rescousse,
venant lui parler, de tout, de rien, et surtout
pas des tableaux accrochés au mur dans lesquels Pascal peinait à voir autre chose que
des taches. Sa perplexité tenait cependant
moins aux œuvres elles-mêmes, qu'au prix
affiché en dessous, aussi astronomique que
l'étiquette se voulait microscopique. Elle lui
avait proposé de l'emmener boire un verre, lui
donnant l'occasion de s'échapper de ce monde

qui n'était pas le sien. Ils s'étaient attablés au café d'à côté et avait passé la nuit à discuter, sans arrière-pensée, en profitant juste de l'instant présent. Cependant, les mécanismes de ce qu'ils appelleraient plus tard leur coup de foudre étaient déjà en train de se mettre en place, chacun plongeant son regard dans le disque dur de l'autre et y percevant des résonances à sa propre histoire, à ses peurs, à ses désirs, à ses attentes. Cupidon s'invita à leur table sans crier gare. Bientôt leurs lèvres s'attirèrent comme des aimants et se mélangèrent à leur insu, en plein milieu d'une phrase. Les bouches s'ouvrirent, laissant pénétrer des langues entreprenantes, se mêlant comme dans un lave-linge. Le sang se mit à affluer, gonflant les lèvres et activant des nerfs sensoriels qui décuplèrent la volupté du baiser, plongeant ses protagonistes dans un plaisir proche de l'orgasme. Les futurs amants aujourd'hui fiancés considéraient d'ailleurs ce baiser comme l'événement fondateur de leur couple.

Son homme, Éloïse l'avait choisi, elle l'avait voulu, elle l'avait eu, et il en était ainsi de tout dans sa vie. Gâtée par la nature et la naissance, elle ne s'était pourtant jamais reposée sur ses acquis. *No pain, no gain*, disait-elle souvent. Perfectionniste, obsédée par le contrôle, elle était très exigeante avec elle-même, mais aussi avec les autres, qui éprouvaient les plus grandes difficultés à répondre à ses attentes. Depuis que le mariage était devenu son nouveau cheval de bataille, elle avait découragé les bonnes volontés et se retrouvait à tout organiser elle-même, y compris l'enterrement de vie de jeune homme de son futur mari. Et, à son habitude, elle avait vu les choses en grand, briefé le témoin, appelé tous ses copains, choisi le restaurant et organisé les événements : après le repas, le témoin devait attirer Pascal à l'hôtel, l'emmener dans sa chambre, lui bander les yeux, l'attacher au lit et le laisser là, tandis qu'Éloïse prendrait le relais. Elle espérait ainsi lui offrir le fantasme qui l'animait et lui donner le sentiment de baiser mille femmes en une.

Pour l'heure, Éloïse était toujours assise sur le lit, dans un déshabillé qu'elle avait choisi un peu kitsch, un peu vulgaire. Il s'agissait d'une nuisette extensible en soie et dentelle, ourlée d'un ruban en satin. L'arrière laissait apparaître un string assorti dont les lanières se croisaient dans un motif en forme de cœur. Le dos était échancré jusqu'au milieu des fesses et le bustier s'arrêtait sous les seins, laissant la poitrine ouverte. Pour couvrir ce sein qu'il n'aurait su voir, elle avait mis des *nippies*, les « cache-tétons » à pompons des strip-teaseuses néo-burlesques. Elle portait surtout une perruque qui avait de quoi jeter le trouble, tant cette longue tignasse frisée de blonde n'avait rien à voir avec sa coupe de cheveux noirs coiffés à la garçonne. Son téléphone portable se mit à vibrer en mode SMS, signalant l'arrivée imminente de la fine équipe, confirmée par un brouhaha émanant du couloir, suivi de voix et de gloussements étouffés. Filant sur la pointe des pieds, Éloïse alla se cacher dans la salle de bain, secouée par un petit rire nerveux. Elle entendit à travers la porte son fiancé débouler dans la chambre, accompagné par son témoin et un autre copain qu'elle ne sut identifier.

– Mais vas-y, avance, lui intima ce dernier.
– T'es marrant toi, je vois rien, je sais même pas où je suis, se plaignit Pascal, avec cependant un soupçon d'amusement dans la voix.

*Allez les mecs, soyez sympas, ôtez-moi ce ban-
deau à la con.*

*– Ttttt Ttttt ! Certainement pas, on a des ins-
tructions ! Déshabille-toi.*

*– Non mais ça va pas, je vais pas me déshabil-
ler devant vous !*

*– Tu vas arrêter de râler, oui ! Tu sais combien
d'hommes aimeraient être à ta place ? Tu au-
ras bien le reste de ta vie pour geindre une fois
que tu seras marié. Alors maintenant, tu te
désapes et tu gardes ton slip, on veut pas être
traumatisés.*

La séquence se poursuivit dans le même esprit,
avec un Pascal bousculé par ses potes mais qui
finalement se retrouva, comme prévu, couché
sur le dos, les yeux bandés et les poignets me-
nottés au lit, tandis que ses copains filaient en
rigolant ! Éloïse sortit de la salle de bain et sa-
voura le spectacle de son homme ainsi offert,

impuissant, à sa merci. Pascal, lui, gigotait, l'air à présent franchement inquiet, lançant d'une voix éraillée « Y'a quelqu'un ? ». Éloïse s'assit au bord du matelas et fit glisser, en réponse, l'ongle de son index sur son thorax, de la poitrine au nombril, admirant au passage les tablettes de chocolat de son homme se creuser à son contact. Le bout de sa langue remplaça l'ongle de son doigt, suivant les courbes et les lignes du corps de son homme, s'insinuant dans les moindres recoins, allant cueillir les effluves de ses aisselles, quitte à prendre le risque de se trahir. Éloïse avait en effet l'habitude d'aller humer ses dessous de bras, d'enfoncer son nez dans ses poils pour s'enivrer de cette odeur si particulière à son homme. « C'est toi, Éloïse ? » s'affola Pascal, d'une voix toujours aussi rauque, tandis que son sexe, lui, se montrait prêt à l'aventure, au garde-à-vous, sans inquiétude aucune. Éloïse le débarrassa du bout de tissu qui lui faisait barrage et entreprit d'embrasser ce membre déjà si vaillant, en balayant le torse du mâle alangui de ses longs cheveux pour tenter de brouiller les pistes. Elle lécha, suça, titilla le phallus en passant par le frein, cette bande très fine qui reliait le gland et la base et qui captait le plaisir comme nulle autre zone. Elle poursuivit par les bourses et l'arrière du pénis, s'arrêtant à l'orée de l'anus, puis abandonnant là le sexe prêt à jouir. Elle se mit à califourchon sur l'homme, s'empala sur lui et commença à bouger, la tête rejetée en arrière. Elle contrôlait tout, le mouvement, l'angle, la cadence. Rien ne venait perturber la montée de son plaisir. C'était comme se masturber avec un organe vivant. Elle jouit dans l'abandon total, livrée à son plaisir, suivie peu après par son « homme-objet » qui, visiblement, n'avait cure d'être ainsi sexuellement exploité. Quand Éloïse se lova à ses côtés, lui ôta menottes et bandeau, son homme l'embrassa sur le front en soupirant « Ouf, c'est bien toi », laissant poindre dans sa voix comme un souffle de regret.

Plus tard, il lui confia encore combien ce fut agréable de la découvrir sous un autre jour, d'être dans l'attente, de ne pas savoir à quel sauce il allait être mangé, par qui, par quoi il allait jouir. Elle lui avoua avoir éprouvé une volupté rarement atteinte au contact de son corps en offrande, au regard désactivé, utilisé à seule fin de lui donner du plaisir.

– Tu vois, y'a pas plus fort que l'excitation de l'inconnu, conclut Pascal. C'est pour ça que c'est dommage que tu n'aies pas envie d'explorer des expériences nouvelles.

– Tu ne vas pas recommencer, s'emporta Éloïse. Je viens pourtant de te prouver que je

suis ouverte aux expériences nouvelles, non ?

– Oui, mais on pourrait aller tellement plus loin.

– Tu crois que je ne te vois pas venir ? Tellement plus loin, c'est aussi loin que le club échangiste du coin de la rue.

– Je comprends pas que t'aies pas envie d'essayer, c'est le moment ou jamais, avant qu'on se marie, qu'on ait des enfants, qu'on tombe dans la routine.

– Charmante, ta conception du mariage.

– J'exagère évidemment, mais c'est important de réaliser ses fantasmes, non ?

– Ça dépend, tous les fantasmes ne sont pas faits pour être réalisés. Et je pense que si le fantasme implique une tierce personne, c'est dangereux, ce n'est pas anodin, ça peut avoir des conséquences qu'on n'imagine même pas !

– Oh là, tout de suite ! Tu crois pas qu'on est plus forts que ça ? Et puis c'est pas parce qu'on

y va, qu'on est obligés de consommer. T'es pas curieuse ?

– Si, mais pas assez pour mettre notre couple en péril. Et puis, je suis peut-être vieux jeu mais la fidélité, c'est une valeur importante pour moi.

– Pour moi aussi, tu le sais bien. Mais là il ne s'agit pas d'infidélité, personne ne va tromper personne puisqu'on y va ensemble ! Et on fait ce que tu veux, on arrête quand tu veux, on repart quand tu veux. Allez, dis oui.

Et elle dit oui. Par curiosité ? Par amour ? Pour ne pas le perdre ? Pour l'ensemble de ces raisons, sans doute, mais surtout parce qu'elle savait que la seule façon de le débarrasser de ce fantasme était de le réaliser. Ce qui fut programmé pour le lendemain, histoire de battre le fer tant qu'il était chaud. Ils arrivèrent au club, vêtus comme à l'ordinaire, petite robe

noire pour elle, pantalon en toile et chemise
pour lui. Après s'être acquittés du droit d'entrée, ils descendirent dans la fosse qui avait,
en fait, tout d'une boîte de nuit normale, avec
un long bar et une piste de danse. Les femmes
étaient plus lascives et légèrement moins vê-
tues qu'ailleurs, mais à peine. Curieusement,
personne ne se touchait sur la piste de danse,
pas de drague, de tentative de rapprochement
des corps. Éloïse s'assit avec Pascal à une table,
bras et jambes serrés, avec la ferme intention
de ne plus en bouger. Ils étaient cernés par
d'autres tables avec d'autres couples comme
eux, dont certains s'échappaient parfois par
le fond de la salle. Éloïse comprit que la bom-
bance avait lieu par là-bas et que les clients
venaient faire leur marché ici. Et si personne
en effet, ne faisait mine de l'approcher, des yeux
l'évaluaient par dizaines. À l'inverse d'Éloïse,
ostensiblement chevillée à son siège, Pascal

ne tenait plus en place. « Allez, on va voir ». Il eut finalement raison de ses résistances, elle le suivit, se forçant à avancer, alors qu'elle n'avait qu'une envie : prendre ses jambes à son cou.

Ils traversèrent d'abord une salle d'attente, sorte de sas de décompression feutré où des couples échangeaient des banalités avant d'échanger leurs fluides. Une entrée donnait sur l'obscurité bruissante d'un couloir tapissé de distributeurs de préservatifs et traversé d'ombres humaines évoluant au ralenti. C'est là, dans les alcôves tamisées de part et d'autre du couloir, que commençait la foire au sexe. Deux femmes face à face avec leur conjoint dans le dos s'embrassaient en se pelotant les seins. Un couple baisait alors que la femme branlait de chaque main une bite s'activant à ses côtés. Une femelle était travaillée en levrette par son mâle, tandis qu'un troisième larron faisait aller et venir trois doigts dans son cul. Plus loin, sur quelques matelas posés au sol, des limaces humaines se mélangeaient au milieu des râles, floc-floc et autres bruits de succion. Tout se passait dans une atmosphère policée, codifiée, curieusement civilisée. Pas de mains aux fesses, de gestes déplacés, d'avances salaces. Une invitation, un refus courtois et l'intéressé s'inclinait. Pourquoi insisterait-il, au risque de se faire vider manu militari alors que juste à côté un mari généreux est venu offrir sa poupée vivante aux bipèdes présents ? Rester de marbre dans une ambiance pareille relevait de l'humainement impossible. Éloïse se sentit mouiller abondamment dès les premières minutes, happée physiquement, malgré elle, par la frénésie de chair et d'organes offerts avec buffet à volonté. Les personnes derrière les corps n'avaient plus d'importance. En vérité, en cet instant, Éloïse aurait pu baiser n'importe qui, n'importe quoi, mais le voulait-elle ? Elle aurait pu résister, renoncer, préférer prendre le risque de regretter de ne pas l'avoir fait plutôt que de regretter de l'avoir fait, si Pascal, lui, n'avait flanché, la précipitant dans un abîme dont ils ne sortiraient pas indemnes.

Pascal s'était d'abord contenté de l'embrasser, tandis qu'ils étaient tous deux collés dos au mur dans une rangée humaine au pied des matelas. Puis, il passa la main sous sa robe pour remonter le long de sa cuisse jusqu'à plonger dans sa rivière intime, surpris par la puissance du flot. « Mais c'est que tu aimes ça, ma petite cochonne » marmonna-t-il à son oreille. La robe relevée, il lui branla doucement le clitoris, au vu et au su de tous. Un homme se présenta face à Éloïse et demanda « vous permettez ? », s'adressant à Pascal qui répondit « je vous en prie. » Il venait d'autoriser un homme à la pénétrer de ses doigts et Eloïse, submergée par sa propre mouille, se laissa faire. Elle ne pensait plus, ne réfléchissait plus. Pour une fois, elle n'était plus sous contrôle mais laissait ses sens la contrôler elle, l'engloutir dans des sables mouvants de sexe et de stupre. Sous le feu conjugué des doigts de l'homme et des caresses de Pascal, elle jouit presque aussitôt. Pascal lui dit à l'oreille « suce-le », Éloïse se mit à genoux et prit dans sa bouche le sexe de l'homme, qui aurait pu être le sexe de n'importe quel homme. Elle l'enfonça profondément dans sa bouche, accompagnée dans son mouvement par les mains de Pascal qui lui agrippait les cheveux en murmurant « oui, c'est ça, c'est bien, comme ça ». La suite n'était plus très claire, des femmes, des hommes, des bites, sucées, branlées, des langues, des membres, des corps haletants se chevauchant... Et puis cette image de Pascal au loin tringlant une blonde siliconée en levrette et jouissant dans un brame, pour ensuite revenir vers elle, la soulever par le bras et lui intimer brusquement « allez, on s'en va ».

Pascal se dirigeait vers la voiture au pas de charge, dans une rage qu'Éloïse n'arrivait pas à comprendre. Elle cavalait derrière lui, trébuchant dans ses talons aiguilles et se demandant ce qu'elle avait fait de mal, sans oser lui poser la question. Une fois dans la voiture, il explosa :

– T'es vraiment qu'une salope, t'as aimé ça de te faire prendre par tous les trous !
– Mais enfin, c'était un peu l'idée. Ton idée, en plus !
– Non, l'idée c'était de voir comment c'était, pas de baiser tout ce qui bouge !

– *T'es quand même gonflé, c'est toi qui a dit au bonhomme, vas-y, mets tes doigts dégueulasses dans ma femme. C'est toi qui m'as dit de le sucer...*

– *Et si je te dis de sauter du vingtième étage, tu le fais aussi ?*

– *Non, mais t'as pas arrêté de dire qu'on ferait ce que JE voulais.*

– *Justement, je savais pas que tu voulais te taper des bites. Et que tu allais aimer ça !*

– *Tu aurais voulu que je déteste ?*

– *Non, mais j'aurais pas cru que n'importe qui pouvait te faire mouiller, te faire jouir...*

Éloïse ne sut que répondre. La dernière phrase de Pascal avait perdu de sa colère et sonnait comme une plainte sourde. S'imaginait-il vraiment que lui seul pouvait faire exulter son corps ? Pascal ne parlait plus, il avait le front posé sur le volant et semblait porter sur ses épaules tout le poids de la luxure humaine. En l'observant, Éloïse sentit se creuser l'abîme dans lequel ils avaient plongé en mettant le pied dans cette boîte. Elle avait grandi en une nuit, elle avait appris le lâcher-prise, l'acceptation, le plaisir gratuit. Lui, à l'inverse, en était sorti plus petit, papillon aux ailes brulées, incapable d'assumer ce qu'il avait lui-même initié. Jaloux. Minable. Elle sentit confusément qu'il n'arriverait jamais à oublier, à dépasser, ce qu'il avait vu ce soir-là, qu'il le lui ferait payer sa vie durant. Pourrait-elle décemment dire « oui » à cet homme, consentir à le prendre pour époux, promettre « de l'aimer et de le chérir dans le bonheur et le malheur, de lui jurer fidélité et de le protéger, pour le meilleur et le pire, jusqu'à ce la mort vous sépare ? »

Pas sûr...

Idées de scénarios
à vous de jouer !

8. Réhabiliter les baisers longs, profonds et sensuels, en faisant danser les langues en un ballet voluptueux, même si on est ensemble depuis longtemps.

9. Sortir de la routine, tenter des expériences nouvelles, aborder un inconnu dans un lieu inhabituel.

10. Jouer le jeu de la soumission, en se laissant attacher et bander les yeux ou, à l'inverse, de la domination, en contrôlant les opérations et en imposant ses volontés à l'autre, partenaire complice.

11. Varier les caresses pour stimuler les sens en utilisant les mains, les doigts, la langue, mais aussi les ongles, les dents, ou divers objets (plume, foulard de soie, pompons...)

12. Aller explorer les aisselles du mâle, l'odeur de la sueur étant un élément déterminant de compatibilité sensorielle et de l'attirance sexuelle d'une femme envers un homme.

13. Introduire un tiers dans ses fantasmes (triolisme, échangisme, gang-bang, orgie, partouze et autre mélangisme), mais songer que réaliser ces fantasmes n'est pas sans risque pour l'équilibre du couple.

Obscurs objets de désir

Juliette

Ce matin-là, Juliette s'était de nouveau réveillée avec ce trou dans le ventre, ce gouffre d'incomplétude qui la laissait à chaque fois abattue. Un torrent de culpabilité venait laminer les parois de son vide intérieur. Pourquoi tant de peine alors qu'elle avait, comme les bonnes gens se plaisent à dire, « tout pour être heureuse » ? À 21 ans, elle avait un petit chez-soi sous les toits parisiens, un premier job dans une société qui la promettait à un brillant avenir et surtout Laurent, son « petit copain ». Juliette avait été biberonnée à l'idéal du prince charmant et Laurent y correspondait en tout point : séduisant, brillant, issu d'une bonne famille habitant les beaux quartiers, futur cadre dynamique amené à diriger les petites gens, il avait la présence et l'assurance des individus bien nés. Il était beau comme un tableau, portant la blondeur des blés, l'innocence des traits d'un communiant, l'aspect gracile et glabre d'une statue grecque, l'attitude raffinée d'un dandy. Le spectacle de ses cils quand il ouvrait et fermait les yeux suffisait à plonger Juliette dans l'émoi : mais comment diable avait-elle réussi à séduire un tel Adonis ?

À vrai dire, cet acte de séduction ne tenait pas vraiment de l'accident. C'était le fruit d'un travail sur elle-même digne d'une de ces émissions de transformation avant/après que la téléréalité affectionne tant. Avant, elle avait certes le visage joli, avec une bouche généreuse, un large sourire et des yeux bleutés, mais l'emballage était par ailleurs tellement fruste qu'il semblait inachevé. Comme si son créateur s'était arrêté à l'ébauche, si bien que cette belle tête ne semblait pas appartenir à ce corps mal dégrossi. C'est d'ailleurs ainsi que Juliette se sentait, elle n'était que tête, sans lien avec ce corps dont elle ignorait les besoins, les pulsions, les plaisirs... Même après son chantier de reconquête à grand renfort de régime et de sport, son corps ne représentait que labeur, n'était que l'instrument de son projet « vivre heureuse à jamais ». Elle faisait connaissance avec des parties de son corps, des muscles dont elle ignorait l'existence, des os qui soudain saillaient. Sa tête jubilait, mais sa tête seule. Son corps devenait sec, net, fin mais n'exultait point. Il ne dégageait rien. Cela suffit cependant à Laurent, séduit au premier regard par le produit final, croisé alors qu'il déambulait aux Champs-Élysées avec sa meilleure amie Cassandra, une collègue de Juliette.

Dès le lendemain, Cassandra débeoula dans le bureau, comme il était coutume de le faire dans cette société d'origine anglo-saxonne, ouverte comme un moulin, où chacun racontant à chacun sa vie, ses amours, ses emmerdes. Juliette s'y sentait comme à la maison. Elle accueillit, flattée et rougissante, le compte-rendu de Cassandra sur le mode « mon copain a complètement flashé sur toi », jusqu'à sa conclusion :

– C'est normal, tu es tout à fait son genre : grande, blonde et mince !

L'instant où Juliette prit conscience qu'elle était cette fille « grande, blonde et mince » dont parlait Cassandra, fut certainement l'instant le plus jouissif de sa vie. Il lui sembla qu'elle pouvait mourir là, à l'instant. Elle avait atteint l'Everest de son existence : devenir grande, blonde et mince. Une fois la connexion établie, Juliette traversa les passages obligés de la mise en couple avec Laurent, qui procéda à son éducation sentimentale et sexuelle avec toute la patience requise. Juliette, de son côté, se montra consciencieuse, ouverte et sans tabou. Le sexe, elle en ignorait tout mais elle était déterminée à se soigner pour faire mentir son destin de fille coincée. Son inexpérience en la matière était même devenue un projet d'entreprise ; chacun y allait de son conseil, surtout les hommes d'ailleurs qui, malgré leur absence de vagin, prétendaient tout savoir de la jouissance féminine « tu prends une douche, tu joues avec le pommeau et tu verras que ça partira tout seul ». Un autre avait cru bon de lui offrir un vibromasseur et une revue cochonne pour son anniversaire. Tous, hommes et femmes confondus, s'accordaient cependant à estimer que la première étape incontournable sur le chemin de la félicité sexuelle était la masturbation ! En bonne élève, Juliette se retrouva donc les jambes écartées, à tâtonner, triturer, tenter de trouver les bons gestes, mais rien ne se passait là en bas, tout restait sec, chair flasque et inerte. Elle ne ressentait pas la moindre étincelle, pas le plus petit soupçon d'allumage. Elle se sentait juste bête et ridicule ! Elle mit donc fin prématurément à cette expérience pathétique. Au moins éprouvait-elle avec les hommes un certain plaisir, et comme ce qu'elle n'avait jamais connu ne pouvait pas lui manquer, le sexe lui semblait tout à fait plaisant. D'autant qu'elle avait trouvé avec Laurent, un terrain d'expérimentation valable.

Sa perception de la relation sexuelle, entretenue par le peu d'hommes qu'elle avait connu, consistait essentiellement pour elle à donner à l'autre un maximum de plaisir. Au bout de quelques semaines, elle avait acquis une dextérité bluffante en matière de fellation, elle

maîtrisait le *must-do* des positions sexuelles,
elle s'était même montrée réceptive à l'escalade de la face nord. L'acte lui parut cependant
si incongru, qu'elle pensait qu'aucune autre
femme au monde ne pouvait décemment s'y
adonner. Et pourtant, elle se remémorait l'épisode avec complaisance. Elle, couchée sur le
ventre et lui sur son dos, se frayant un chemin entre ses cuisses jusqu'à pénétrer l'entrée
arrière, comme par inadvertance. Le corps de
Juliette avait chauffé et changé de couleur à
mesure qu'elle se dilatait et que l'intrus progressait, lentement, péniblement mais sûrement, jusqu'à décharger avec la fureur d'une
mise à mort. Pendant des jours, la pensée
d'avoir fait une chose aussi vilaine lui avait
procuré un plaisir délicieusement coupable.

Cependant, Juliette pratiquait le sexe comme
n'importe quelle autre activité distractive,

avec le désir de progresser et le plaisir de l'expression de soi mais sans se sentir touchée à l'intérieur, ni réellement pénétrée. Le régime, le sport, le sexe, la relation, rien n'avait su combler le cratère intime. Ces expériences semblaient même avoir accentué sa béance. Elle était à présent « grande, blonde et mince », elle avait même un petit copain qui, sur le papier, présentait toutes les caractéristiques du prince charmant, mais rien n'avait changé. Au lieu de l'embrasement attendu, elle n'éprouvait que des sentiments et des plaisirs tièdes. Elle ne savait pas ce qui lui manquait, mais elle savait qu'il existait autre chose, un autre monde. Elle le savait depuis que, petite fille, elle avait découvert *Les Ensorcelés* de Vincente Minnelli à la faveur d'une nuit d'hiver passée chez sa grand-mère qui l'autorisa à transgresser le couvre-feu du 20 heures. Elle s'était retrouvée plantée devant la télévision, les yeux écarquillés, le cœur et les sens en vrac, alors que se déversait sur elle et son imagination la déferlante de fièvre, de volupté et d'ivresse du film. Elle avait eu la révélation de ce qu'elle avait toujours pressenti, malgré le carcan d'une éducation austère et le contre-exemple de parents liés par nul autre sentiment que le devoir conjugal : il existait bien un autre monde où rien n'était froid ni ordinaire, où les femmes étaient belles et sulfureuses, les hommes sauvages et séduisants, et où les unes inspiraient aux autres de grands sentiments et des passions forcément fatales.

Frustrée face au caractère si peu hollywoodien de sa romance avec Laurent, elle l'appela et lui assena le fatidique « faut qu'on parle ». Il arriva dans l'heure, s'assit sur le tabouret de bar, la toisa de son regard impérial et lui lança dans un souffle, comme fatigué d'avance :

– Bon, allez, dis-moi ce qui ne va pas.

– J'en sais rien, je ne sais pas où on va tous les deux.

– Comment ça ?

– On sort ensemble depuis trois mois et j'ai l'impression qu'on se connaît pas, qu'on ne partage rien. On est tellement différents.

– Je trouve que c'est justement ça qui est intéressant entre nous.

– Peut-être, mais tu me dis jamais rien, je sais pas ce que tu ressens...

– Mais enfin, tu sais bien ce que je ressens. Je suis jamais resté aussi longtemps avec une fille. J'avais même jamais tenu la main d'une fille en public avant toi !

– Oui mais ça suffit pas.

– Qu'est-ce que tu veux de plus ?

– Un peu de fantaisie, un peu de passion...

– Tu sais bien que ce n'est pas mon genre.

– D'accord, mais on se voit, on couche ensemble

et puis c'est tout. Il doit bien y avoir autre chose dans une relation...

– Comme quoi ?

– Je sais pas, autre chose...

– Écoute, je ne sais pas quoi te dire. Tu veux qu'on fasse un petit break ?

– Un break ?

– Ben oui, on se sépare pendant quinze jours, on se voit pas, on s'appelle pas et on fait chacun le point de notre côté, qu'est-ce que t'en dis ?

Ainsi fut donc décidé. Juliette ignorait quelle illumination pouvait bien découler de ce break. Cependant, l'indifférence qu'elle éprouvait à l'idée de ne pas voir Laurent pendant quinze jours ne faisait que confirmer le fait que quelque chose grippait l'engrenage de la romance. « Ce qu'il me faudrait, c'est un amant ! » se dit-elle tout haut, bravache mais sans y croire. Elle n'était pas dupe de son audace de façade. Il lui semblait que quelques étapes manquaient encore entre avoir un premier petit copain et prendre un amant. Par ailleurs, elle se voyait mal en amazone jetant son dévolu sur un homme pour en faire son jouet sexuel, même si l'idée l'amusait vaguement.

Déjà, il fallait qu'elle se sorte Laurent de la tête, qu'elle voit du monde, et de préférence des hommes. Elle appela son amie Marine, qui avait fait de la quête de l'âme sœur son Graal et qui la tannait depuis des semaines pour l'emmener au Balajo, la boîte mythique de Bastille, réputée pour son ambiance et sa programmation hétéroclite. En ce samedi de break, l'occasion fit le larron. Et Juliette avait bien l'intention de s'éclater. Elle choisit de porter une longue jupe gipsy, une chemise ample à volants, une paire de créoles et les cheveux au vent. L'ensemble lui donnait un look d'Es-

meralda du pauvre, certes désuet, mais plutôt sexy. Elle tourna sur elle-même devant la
glace, satisfaite, posa du rouge sur ses joues,
du noir sur ses cils et se vit fin prête pour danser jusqu'au bout de la nuit.

L'atmosphère était déjà moite et survoltée
quand, suivant le sillon de Marine, Juliette
tomba dans la marmite du Balajo, s'y sentant
tout de suite à son aise, happée par le climat
ambiant. Ici pas de techno assourdissante ni
de carcan musical, pas de poseurs bodybuildés
ou de blondasses refaites, mais une ambiance
authentique de bal populaire avec des gens de
tous âges, de tous styles, de toutes catégories
sociales, venus ici essentiellement pour danser. Et elle dansa, libre et insouciante, passant
de bras en bras en évitant au passage, autant
que faire se peut, les mains baladeuses et les
partenaires trop pressants. Alors qu'elle re-

tournait à sa table pour reprendre son souffle, un danseur resté transparent jusqu'ici lui attrapa la main pour l'entraîner sur la piste. Elle se dit qu'il n'était « pas trop moche » et le suivit sagement. Cependant, elle n'avait pas affaire cette fois-ci à un de ces partenaires de danse interchangeables mais à un serpent hypnotique qui ondulait autour d'elle, la fixant de son regard de braise et vidant peu à peu son cerveau de toute sa substance. Pour une fois, elle n'était plus que corps, un corps pleinement habité et qui se réveillait au contact de cet autre, évoluant au diapason, en harmonie d'instinct. Et elle se laissait faire, mieux, elle attisait en retour, jouissant de l'instant présent, la conscience absente. Pas un instant, elle ne quitta le regard de l'animal. Dire qu'elle l'avait trouvé « pas trop moche » ! À mesure qu'il l'ensorcelait, il devenait de plus en plus canon à ses yeux : lèvres pulpeuses, regard un peu fou, crinière d'ébène, peau mate et corps félin, il était l'altérité incarnée et pourtant, sa chair le reconnaissait d'emblée, son corps cherchait à se fondre en lui. C'était bien mieux que le sexe. Ou plutôt : c'était du sexe. C'était sensuel, excitant, animal et sans pudeur. Danser avec cet homme ressemblait plus à « faire l'amour » que n'importe quelle partie de jambes en l'air qu'elle avait connue. Le charme fut rompu par l'interruption de l'officielle venue récupérer son homme. Juliette le laissa partir sans un regard, sans même un regret, si comblée par ces quelques secondes d'éternité qu'il lui importait peu de ne jamais le revoir. Elle retourna à sa table chargée d'une énergie nouvelle. Quelque chose avait bougé en elle, comme si des connexions endormies avaient soudain été activées. Elle se sentait ruisselante, à fleur de peau, électrisée, avec une drôle de sensation, presque douloureuse,

de pression comprimée au niveau du bas-
ventre. Elle se dit que c'était sans doute ce
que devaient ressentir les hommes quand ils
« bandent ».

Sur la piste de danse aussi, quelque chose
avait changé. Comme si le gros bouchon qui
comprimait l'énergie sexuelle de Juliette avait
sauté pour de bon. Et cette énergie débordait à
présent de partout. Incapable de la canaliser,
ignorante d'avoir à le faire, Juliette irradiait,
allumant sans vergogne le mâle passant à sa
portée. Tous voulaient danser avec elle. L'un
d'eux tenta même de l'embrasser, elle le gifla, et
il la gifla en retour, la précipitant au sol, sonnée,
provoquant une vendetta immédiate. Tandis
que l'essaim de testostérone se dissipait pour
aller chasser l'insolent qui avait fui sitôt le for-
fait accompli, le bel inconnu revint à la charge.
Il l'aida à se relever et s'enquit de sa joue. Ce-

pendant, elle sentit dans sa voix, venant de loin, du fond d'un volcan qui gronde et menace, bien moins de compassion que d'envie de lui laisser, à son tour, une marque cuisante. Il l'entraîna de nouveau dans la danse, plus près, plus chaud encore. Il la faisait tournoyer, la serrait contre lui, imprimant dans son dos sa virile raideur et lui glissant à l'oreille « tu vois l'effet que tu me fais ». Elle le voyait, le sentait, en jouait, prenant plaisir à se séparer de lui pour retourner à sa place et revenir danser avec d'autres. Elle le rendait fou et s'en délectait. Il alla jusqu'à fourrer son officielle dans les bras d'un autre pour s'imposer dans les pas de Juliette. À présent, il n'y mettait plus les formes et à chaque fois que le visage de Juliette approchait le sien, il lui happait les lèvres, glissait sa langue, pour finalement l'engloutir toute entière. Elle n'avait jamais connu une expérience aussi puissante et intime que ce baiser-là, qui partait de sa bouche certes, mais résonnait en chaque atome de son corps, de son âme.

Vers quatre heures du matin, alors qu'elle devisait avec Marine, debout à leur table, l'inconnu passa derrière elle, lui prenant la main et l'entraînant à sa suite, vers la sortie. Juliette gloussa intérieurement en se disant « Ouh, je vais faire une vilaine chose ». Pas une once de scrupule, pas le moindre soupçon de culpabilité, ni aucune ébauche de pensée raisonnable ne la retenait. Où était donc passée l'oie blanche coincée du minou qui était arrivée au Balajo quelques heures plus tôt ? L'inconnu l'attira dans une rue adjacente et se précipita sur elle pour lui manger la bouche avant de lui relever furieusement le jupon pour continuer son festin plus bas. La surprise cloua Juliette au mur. Elle avait tant focalisé son énergie à suivre le bon plaisir d'hommes peu enclins à la réciprocité, qu'il ne lui était même jamais venu à l'idée que le sexe oral marchait dans les deux sens. Et l'inconnu savait y faire, il tournait, lapait ses lèvres intimes qui mouillaient, qui gonflaient. Sa langue était aussi douce et sinueuse que son sexe s'était montré dur et impérieux sur la piste de danse. Juliette se sentait défaillir quand soudain l'inconnu se releva, la retourna et lui releva les jupes, par l'arrière cette fois-ci. Il n'allait pas, il n'allait quand même pas. Elle n'était pas encore au bout de sa pensée qu'il était déjà dedans, la verge engloutie jusqu'à la garde. Elle qui pensait que cet organe, étroit et obscur, n'était pas fait pour ça et qui tirait son plaisir de cette transgression même, réalisait que tout, l'ensemble des courbes et cavités de son corps n'aspirait qu'à une chose : être rempli de cet homme ! Tandis qu'elle était ainsi bai-sée, la joue contre le mur, elle voyait passer et repasser une ombre qui n'en perdait pas une miette. Pourtant, elle ne ressentait toujours ni honte, ni gêne. Pas d'âme triste post-coitum non plus. Elle venait de se faire prendre, à quatre heures du matin, dans la rue, par un fils de Sodome dont elle ne connaissait même pas le nom et elle s'en foutait. Elle se foutait du passé, du futur, de ce que quiconque pourrait dire, faire, penser d'elle, s'imaginant, sans émoi, que l'inconnu ne s'intéresserait plus à elle maintenant qu'il avait obtenu ce qu'il voulait. Il avait fait d'elle une « ensorcelée », elle n'était plus vide mais débordante de sensations, la vie palpitait à présent plus fort et lui promettait bien d'autres aventures. Que pouvait-elle demander de plus ! Contre toute attente cependant, au moment où elle allait quitter le Balajo, l'inconnu l'attrapa encore par la main et lui dit, en aparté : « Je reviendrai la semaine prochaine, et cette fois, je serai seul ! »

Idées de scénarios
à vous de jouer !

14. Se lâcher sur la piste de danse, retrouver le plaisir des corps à corps sur une musique lascive ou plus endiablée.

15. Tenter l'escalade par la face nord, en prenant le temps de la mise en condition, pour être bien détendue et dilatée le moment voulu et en utilisant, au besoin, un gel intime.

16. Prendre un amant, un objet de désir et de fantasme dédié au plaisir sexuel immédiat sans penser au lendemain.

17. Faire l'amour dans un lieu public, une ruelle sombre, un porche de maison...

18. Jouer la vilaine fille, l'allumeuse, la femme fatale dans les attitudes et dans les actes, oublier la bienséance, ce que l'autre pourrait penser de vous pour s'adonner à ce qui vous excite et vous donne du plaisir.

19. Embrasser la bouche, le corps, le sexe en utilisant la langue, l'organe doté du muscle le plus puissant du corps humain, et la salive, aux substances sémiochimiques réputées grisantes.

Ciel,
mon mari !

Rebecca

Quand Rebecca pénétra dans le large hall de l'hôtel, après avoir traversé l'imposant portillon à l'ancienne, elle fut traversée par un frisson d'excitation, comme si cet espace, cette brillance, ce luxe étaient en soi promesse de félicité. Avec son tailleur parfaitement coupé, ses cheveux coiffés à la Dita Von Teese et ses bijoux discrets mais de goût, elle ne détonnait guère au milieu des riches touristes qui constituaient l'essentiel de la clientèle du palace. Seules ses chaussures de manufacture bien trop modeste pouvaient la trahir auprès d'un œil aiguisé. Elle prit une profonde inspiration, puis se dirigea d'un pas faussement assuré vers l'espace feutré du bar. Elle s'assit sur un haut tabouret, le serveur glissa furtivement vers elle et lui demanda en la caressant du regard : « Que puis-je vous servir ? ». Décidemment, ces gens savent y faire pour vous donner l'impression d'être la personne la plus importante au monde. Rebecca ouvrit la bouche, hésita une microseconde puis annonça, l'air bravache « Un Cosmopolitan ! ». Elle n'avait aucune idée du contenu du breuvage qui lui serait servi mais commander la boisson préférée des héroïnes de Sex and the City lui paraissait incontournable en cet instant. À présent qu'on ne pouvait plus fumer dans les bars, il ne restait plus que les cocktails pour se donner contenance.

Ce Cosmopolitan remplit d'ailleurs parfaitement la mission. Servi dans une coupe élégante, avec une tranche de citron vert et un glaçage subtil, il transcendait sa fonction de breuvage pour devenir un accessoire de femme fatale. Et puis, c'était de l'alcool. Plutôt fort d'ailleurs. Rebecca, à jeun et qui ne buvait pour ainsi dire jamais, en ressentit les effets dès la première gorgée. Il lui sembla que l'alcool était parti en sens inverse, migrant directement de sa bouche au cerveau. Elle prit une deuxième puis une troisième gorgée, savourant le subtil équilibre du mélange. Elle reconnut le goût de la vodka, du citron vert, de la liqueur d'orange. Elle en était à se demander quel pouvait bien être cet autre parfum que son palais détectait, quand elle fut interrompue dans sa réflexion par une voix grave derrière elle :

– Dites-moi, que fait donc une belle femme comme vous, seule, dans un endroit pareil ?

L'entrée en matière était éculée mais lui arracha néanmoins un sourire. Elle répondit, avec toute l'ingénuité requise :

– *Que voulez-vous, il faut croire qu'on ne trouve plus guère de nos jours de gentlemen pour accompagner une femme esseulée.*

– *Voilà une erreur qui se doit d'être immédiatement corrigée. Vous permettez ? poursuivit-il en montrant le tabouret à côté d'elle.*

– *Je vous en prie...*

L'homme portait beau, sans afficher le moindre signe extérieur de richesse. Il était grand, massif, plutôt chic, rasé de près et sentait bon. Malgré l'attention évidente que l'homme avait portée à son apparence, Rebecca ne put s'empêcher de noter que sa ceinture était mal assortie et qu'une main féminine aurait mérité de passer par là pour parfaire son élégance poivre et sel. Cependant, ces petites imperfections, ce poivre et ce sel, ce bon vivant que l'on devinait sous les coutures, ajoutées à la sorte d'espièglerie accrochée au coin de ses yeux et de ses lèvres, lui donnaient un charme qui contrastait plutôt agréablement avec son approche cavalière de séducteur du dimanche. Il reprit l'offensive :

– Je sens que vous n'êtes pas d'ici, vous.

– C'est vrai, je viens de Nancy, je suis montée à Paris pour rencontrer un éditeur.

– Vous écrivez ?

– Plus ou moins. En fait, je suis supposée écrire les mémoires d'une personnalité très connue.

– Ah bon, qui ça ?

– C'est top secret, je ne peux rien vous dire ou alors, il faudrait que je vous tue après. Et vous ?

– Oh, moi, je suis là pour le business, je dois rencontrer des financiers pour un important projet dans les nouvelles technologies que je suis en train de monter. Mais oublions les affaires et parlons un peu de vous. Pas de petit mari que vous auriez emmené dans vos bagages ?

– *Oh vous savez, mon mari est plutôt du genre casanier.*

– *Et il n'est pas jaloux ? Il n'a pas peur de vous laisser partir, comme ça, toute seule ?*

– *Je crois qu'il me considère comme acquise. Il manque un peu d'imagination, vous savez...*

– *Vraiment ?*

– *Figurez-vous que c'est aujourd'hui notre anniversaire de mariage et je suis seule à Paris, vous trouvez ça normal ?*

– *Non, c'est tout à fait scandaleux. Je trouve qu'il mérite une bonne leçon. Vous savez que, de ma chambre, j'ai une vue imprenable sur les toits parisiens ? Ça vous dirait d'y jeter un œil ?*

L'espièglerie avait à présent envahi tout le visage de l'homme. Il était posé là, accoudé au bar, sûr de lui, tandis que Rebecca sentait la rougeur lui manger les oreilles. Elle qui n'était pas du genre à coucher le première soir, ni le suivant d'ailleurs, ni même avant que ne soit achevé un parcours du prétendant qui durait plusieurs semaines, avait bien envie de céder à cette version revisitée du « viens voir mes estampes japonaises ». Par l'effet conjugué de l'alcool, du cadre et de la convoitise, elle se sentait devenir amante potentielle, un statut bien plus excitant que celui de « femme de ».

L'homme régla l'addition et entraîna Rebecca à sa suite en lui prenant la taille. La pression était des plus légères mais suffit à l'électriser. Ses jambes lui semblaient prendre la consistance du coton à mesure qu'elle approchait de l'ascenseur. Il lui lâcha la taille au moment d'entrer dans la cabine, se plaça à côté d'elle, regardant devant lui droit comme un I, laissant un bon mètre d'espace entre elle et lui. Il se pencha légèrement pour appuyer sur le

7, reprit sa stricte verticalité puis tourna son regard vers Rebecca, la fixant intensément tandis que les portes de l'ascenseur se refermaient. Deux, peut-être trois secondes, qui lui semblèrent durer des heures, s'écoulèrent aussi brûlantes qu'une mèche de dynamite qui se consume. Le petit bruit que fit l'ascenseur en se fermant prit l'ampleur d'une explosion. L'homme fonça sur elle, la propulsa contre la paroi, l'embrassa en la crucifiant de la langue tout en lui relevant la jupe des deux mains. Elle n'eut pas le temps de réaliser ce qui lui arrivait, qu'il lui arrachait le slip, libérait son propre sexe dans un zip et s'empalait puissamment en elle. Rebecca ne pensait même pas qu'il était physiquement possible d'être pénétrée aussi rapidement. Une seconde et trois coups de reins plus tard, il jouissait en elle dans un râle animal et se laissait glisser comme une loque à ses pieds. Il se releva péniblement, un sexe rougeaud et flasque pendouillant de sa braguette, et se rajusta en titubant. Bien que sonnée, Rebecca était toujours debout, agrippée à la rambarde, et gloussait nerveusement. Bien sûr, elle n'avait pas eu le temps de jouir, elle se sentait pourtant sexuellement plus vivante que jamais. Que cet homme puisse, après tant d'années, ressentir un tel désir, une telle pulsion à son égard, la comblait au-delà de tout. Elle ramassa son slip pour essuyer la semence qui roulait le long de ses cuisses, le mit dans la poche avant du veston de l'homme et lui dit, en souriant :

— Il serait peut-être temps que tu me les montres, ces fameux toits parisiens.
— Tu es sûre que ça t'intéresse encore ? répondit-il en riant franchement. Je croyais que j'étais trop casanier et que je manquais d'imagination ?

– Oh mais justement ! Maintenant que mon-
sieur a pris son pied, il va falloir penser un peu
à madame.

La chambre était au dernier étage de l'hôtel. Marc, puisque l'homme s'appelait ainsi,
ouvrit la porte et laissa sa femme pénétrer
devant lui dans la pièce. En fait de pièce, il
s'agissait plutôt d'un vestibule avec, en face,
une somptueuse salle de bain avec baignoire
à l'ancienne et, à gauche, une belle pièce,
légèrement mansardée, riche en tentures
mais décorée avec finesse et sensibilité par
ailleurs. Le mobilier était de style, sans que
Rebecca ne se sente pour autant capable de
le qualifier. Il était composé d'un petit salon,
d'un secrétaire, d'une commode sur laquelle
trônait un écran plat dernier cri, dispro-
portionné et anachronique dans cet écrin
délicat. Mais où diable était le lit ? En pro-

gressant dans la chambre, une ouverture en alcôve vers la droite, au fond de la pièce, lui fournit la réponse : elle donnait en effet sur une autre chambre, avec une autre télé – pour parer à une éventuelle crise du couple ? – et, enfin, un lit, *king-size*, of course !

Elle comprit que son bougre de mari avait fait les choses en grand, réservant pour l'occasion cette suite à l'architecture insolite, véritable nid d'amour sous les combles. Elle n'était pas encore au bout de ses émotions. « Viens par là », lui dit son mari en lui prenant la main. Il l'entraîna vers la gauche du salon où trois petites marches cachées sous une tenture l'amenaient à une terrasse littéralement posée sur les toits parisiens. Ce n'était pas que du baratin : la vue était époustouflante. En touche finale, une table l'attendait avec bougie, sceau à champagne et deux assiettes recouvertes d'une cloche, exactement comme dans les comédies romantiques américaines. Rebecca regarda son mari, les yeux embués de reconnaissance, bouleversée moins par l'ambiance, le décor et le luxe ambiants que par les efforts que Marc avait dû faire pour lui offrir cette démonstration d'amour. Elle l'aurait bien entraîné immédiatement sous la couette mais elle savait qu'elle lui gâcherait le plaisir si elle ne faisait pas honneur au dîner si amoureusement servi. Marc avait su se montrer surprenant, il s'agissait à présent de ne pas tout gâcher en suggérant des chemins de traverse au parcours qu'il avait si soigneusement balisé.

Et Marc avait fait les efforts d'une vie pour organiser cette soirée. Une fois les « filets de bœuf aux cèpes et aux 3 légumes » dûment ingurgités – dans une délectation qui tenait autant, pour Rebecca, à la finesse des mets

qu'à la douce brise qui chatouillait son entrejambe resté nu depuis l'épisode de l'ascenseur
- Marc se leva et se plaça derrière elle, lui murmurant à l'oreille « Pour le dessert, j'ai prévu
quelques spécialités de mon cru ». Joignant
le geste aux paroles, il lui noua un bandeau de
soie autour des yeux. Rebecca laissa échapper un « Oh » effaré, portant spontanément
les mains à ses yeux soudain bandés. Elle fut
encore une fois prise au dépourvu par le cou-
rant d'excitation électrique qui la traversa. Il
ne s'était encore rien passé, il ne l'avait même
pas touchée, et pourtant l'idée même d'être en
offrande, aveugle et nue, prise par surprise, la
faisait abondamment mouiller. Marc la dirigea vers la chambre. Elle se sentait au comble
de la vulnérabilité, à progresser ainsi, hési-
tante et tâtonnante, à la merci de cet homme
qui lui réservait un traitement dont elle ignorait tout.

Une fois dans la chambre, Marc commença à la déshabiller, lui déboutonnant d'abord la chemise, puis la débarrassant de son soutien-gorge, provoquant une nouvelle décharge électrique en lui frôlant les mamelons. Rattrapée par l'impatience, elle voulut prestement se débarrasser de sa jupe, mais Marc l'immobilisa en lui susurrant « chuuut, du calme ». Il fit lentement coulisser la tirette, baissa centimètre par centimètre la jupe, son souffle chaud effleurant les poils pubiens qui frémissaient d'excitation et d'attente. Allait-t-il toucher, caresser, pénétrer sa vulve ? Non, il s'était déjà relevé et l'invitait d'une pression à se coucher sur le lit.

Rebecca sentit avec un mélange de déception et de soulagement la fraîcheur du drap s'imprimer dans son dos. Marc entreprit de la caresser, de la torturer plutôt, puisqu'il s'ingéniait à s'approcher des zones érogènes sans jamais franchir la frontière. Cependant, au point où elle en était, chaque millimètre de son corps s'était transformé en zone érogène. Les mains de Marc l'abandonnèrent soudain. Les sens au garde-à-vous, elle entendit un plop, sentit une odeur doucereuse et immédiatement après, un liquide froid couler sur son corps, en commençant par le ventre pour remonter jusqu'aux seins. Tétanisée, Rebecca laissa échapper un cri suivi d'une sorte de miaulement quand Marc commença à lui lécher les seins, les gobant et les relâchant. Il interrompit son manège pour lui dire « goûte ça ! ». Elle ouvrit timidement la bouche, découvrant sur sa langue une texture mielleuse et sous ses dents, le croquant d'une fraise. Marc commença ensuite, enfin, à s'occuper de sa vulve ruisselante, la caressant d'abord puis l'aspergeant dans un pschiiit ! d'une substance légère, à peine perceptible, immédiatement engloutie par son amant dans des lapements frénétiques. Il vint ensuite l'embrasser à pleine bouche, partageant avec elle un festin de salive à la chantilly.

À présent, quelque chose de dur, d'un contact trop froid, trop rugueux pour être un pénis, allait et venait sur sa vulve et lui chatouillait le clitoris, qui avait tant et si bien gonflé que tout le bas de son corps n'était plus qu'un immense clitoris. L'aveuglement renforçait encore cette sensation. La tension devenait insoutenable, rendant la détente imminente. Elle avait envie de jouir à en souffrir. Quand Marc dirigea le va-et-vient de l'objet à l'intérieur du vagin, Rebecca fut presque immédiatement terrassée par l'orgasme. Ses spasmes engloutirent le substitut phallique qui échappa un instant à la main de son maître. Tandis que le calme revenait, Marc retira l'objet. Avant qu'il n'ait le temps de réagir, Rebecca se recroquevilla dans les draps, oublieuse des restes du dessert qui recouvraient son corps. Une fois libérée du bandeau, elle éclata de rire en voyant l'engin que Marc tenait toujours dans ses mains. Voilà qui devrait rendre humble tout mâle au pénis triomphant : elle venait de jouir furieusement en se faisant baiser par... une banane !

Une fois qu'elle eut repris ses esprits, Rebecca s'appropria les lieux, appelant le service d'étage pour débarrasser et, hum, changer les draps. Puis elle alla se faire couler un bain. Nul doute que cette baignoire avait joué son rôle dans le choix de son mari, qui savait combien le bain était son péché mignon. Au grand dam de Marc d'ailleurs, qui lui reprochait ses litres d'eau gaspillés. Mais le bain avait pour Rebecca des vertus thérapeutiques qui reléguaient au second plan la bonne conscience écologique. Et dans une baignoire comme celle-ci, trônant au milieu de la salle d'eau, le bain devenait une œuvre d'art. En fonte, double dos, pattes de lion, douchette à l'ancienne... elle aurait volontiers emporté l'ensemble chez elle ! Rebecca fit couler l'eau en dosant savamment, comme à son habitude, le chaud et le froid pour obtenir la température idéale. Elle plongea lentement son corps dans l'eau brûlante à la limite du supportable, puis reposa sa tête, ferma les yeux et ne bougea plus. Sa peau se transformait peu à peu en parchemin sans que la température ne baisse. Elle n'avait pas, comme dans sa vieille baignoire domestique, à rajouter de l'eau chaude, la fonte faisait office de thermos.

Elle était à deux doigts de s'endormir quand elle entendit « Y'a une petite place pour moi ? ». Elle ouvrit les yeux et découvrit Marc

face à elle, dans sa nudité si douce et fami-
lière. Là encore, la baignoire avait un plus
par rapport à celle de la maison : les robinets
n'étaient pas bêtement placés à une extré-
mité mais au milieu de la baignoire, si bien
qu'ils ne gênaient personne si l'idée venait
au baigneur de se faire accompagner. Marc
s'immergea dans le vacarme de l'eau se vidant
dans le trop-plein. Ils entreprirent de se laver
mutuellement. Malgré la chaleur, le sexe de
Marc reprit très vite de la vigueur et ils firent
l'amour, doucement, tendrement, jouissant
à l'unisson grâce aux gestes qu'ils connais-
saient bien, lui le pouce sur le clitoris, elle le
doigt dans l'anus.

Ce soir-là en se couchant, elle se demanda,
un sourire comblé aux lèvres, pourquoi diable
certaines femmes se fatiguaient à prendre un
amant alors qu'elles pouvaient transformer

bien plus sûrement l'homme qui les connaissait, l'homme de leur quotidien, en amant
idéal !

Idées de scénarios
à vous de jouer !

20. Inventer, rejouer la première rencontre en incarnant des personnages complètement différents de la réalité.

21. S'embrasser, se caresser, faire l'amour dans un lieu où vous pouvez, à tout moment, vous faire surprendre.

22. Bander les yeux pour démultiplier les sensations, exacerber les autres sens que la vue et laisser son corps se transformer en zone érogène globale.

23. Introduire des aliments et des substances étrangères aux rapports amoureux , en jouant sur la variété et la sensualité des textures.

24. Sortir de son cadre habituel, se faire bichonner dans un endroit luxueux en guise de préliminaires, jouer l'amante d'un soir et passer une nuit dans un hôtel de luxe parisien même si on habite Paris.

25. Faire l'amour dans l'eau (piscine, mer, baignoire, douche…), se frotter, se laver mutuellement et laisser les corps se glisser l'un dans l'autre.

26. S'enhardir en prenant un cocktail alcoolisé avec modération, bien sûr !

Une nana qui fout les boules

Camélia

Camélia avait une qualité rare et pré-cieuse : elle tirait de ses maternités le bon grain sans l'ivraie. Par deux fois elle était tombée enceinte aux premiers essais, avait vécu une grossesse de rêve et mis au monde un enfant en deux poussées et demi, sans forceps ni scal-pel, dans l'ivresse des vapeurs anesthésiantes. À la loterie des nouveau-nés, elle gagnait le modèle qui dormait 20 heures sur 24 « comme un bébé », c'est-à-dire comme les bébés ne dorment jamais : d'une traite, sans cris et sans pleurs. Les kilos de la parturition repartaient aussi discrètement qu'ils étaient apparus et Camélia retrouvait en un rien de temps sa ligne élancée d'ancienne danseuse. Elle n'avait jamais connu le baby blues, ni aucun autre blues pré ou post-partum. Bien au contraire, la maternité lui avait donné une sérénité additionnelle, surtout depuis la naissance de son deuxième enfant, Ryan, 5 mois déjà. Pour la première fois de sa vie, elle se sentait comblée, assertion presque obscène dans un monde où le « toujours plus » fait loi.

Sur le plan intime également, Camélia n'avait pas connu la déchéance annoncée. Ses enfants étaient avant tout le fruit d'un désir amoureux qui, dans son couple, coulait avec la force tranquille d'un fleuve suivant son cours sans discontinuité. À peine changeait-il de direction, de rythme parfois, pour mieux repartir ensuite dans le tumulte des flots. La grossesse n'avait jamais fait barrage à l'intensité de ses ébats, qui devenaient même plus fréquents. Sous l'afflux des hormones, Camélia se sentait perpétuellement « en chaleur », le vagin congestionné, sous pression, pulsant vers l'extérieur en réclamant pitance. Parfois, n'y tenant plus, elle appelait son mari au bureau « Il faut que tu viennes, là, tout de suite, j'en peux plus ». Et lui, prétextant une urgence, accourait nourrir de sa verge charnue le monstre vorace caché sous les plis de sa vulve.

Sortant un temps son drapeau blanc, la libido de Camélia avait retrouvé toute sa vaillance, deux à trois mois après l'accouchement. Là encore, elle n'avait pas connu la fameuse « frigidité physiologique » supposée programmer la mère à se désintéresser de la gaudriole pour la forcer à se dévouer exclusivement à sa progéniture. Le contact physique sensuel, presque érotique, qu'elle entretenait avec ses petits ne remplaçait en rien les relations sexuelles avec son mari, car lui seul avait le pouvoir de faire d'elle une femme par la puissance de son regard désirant.

Camélia avait retrouvé sa ligne et son sex-appeal, tout allait bien dans sa tête et sous les draps, au point que c'en était suspect. Avec tout ce qu'elle avait lu sur la grossesse, la maternité et leur impact sur le corps et l'esprit des femmes, elle trouvait inconcevable qu'elle ait pu échapper à tout. Si les rapports sexuels, renforcés par son sentiment général de complétude, la comblaient comme jamais, il en était peut-être différemment de son mari. Qui sait s'il ne ressentait pas, lui, une perte de sensations due au relâchement des chairs et des muscles ?

Par acquis de conscience, elle décida de faire un check-up complet qui la rassura pleinement. En plus d'avoir la tête mignonne d'une poupée de cire et le corps élancé d'une ballerine, elle semblait en effet jouir d'une « beauté intérieure » d'exception !

Le rhumatologue fut le premier à s'émerveiller en contemplant les scanners de son bassin, lui mettant la radio sous le nez et la prenant à témoin « vous avez un bassin magnifique, mais regardez-moi ça ! Un pur chef-d'œuvre de la nature, franchement, vous devriez le mettre dans un book ». L'ostéopathe en remit une couche, constatant combien Camélia était « bien bâtie » et s'extasiant devant la perfection de son architecture intérieure, tout en rajoutant avec une pointe de dédain « vous n'avez aucun mérite, c'est génétique, vous pouvez remercier vos parents ». Le kinésithérapeute chargé de sa rééducation abdominale la classa d'emblée dans la catégorie «surdouées des abdos», ponctuant chacun de ses mouvements d'un «bieeeennn» épaté et concluant « y'a pas à dire, vous avez de beaux restes ». Cette fois-ci, c'était aux années de danse qu'il convenait de dire merci ! Enfin, la sage-femme qui ausculta le périnée de Camélia ne put que confirmer sa solidité. Elle la dispensa même de séances de rééducation, estimant qu'elle avait un périnée tonique et musclé à faire pâlir une pucelle de jalousie.

Quand Camélia raconta ses tribulations post-partum à sa meilleure amie Yvette, celle-ci tiqua sur ce dernier épisode.

– Fais gaffe quand même, le périnée, c'est super important ! C'est lui qui retient les organes et qui contrôle le sphincter. N'oublie pas que, pendant ta grossesse, ton périnée a subi le poids d'un utérus trente fois plus lourd qu'en temps normal. Si tu ne fais rien, tu peux te retrouver avec des couches à 50 ans !

Yvette était une amie chère, généreuse, toujours positive et d'une énergie tonitruante.

Elle était trop en tout, trop grande, trop forte, trop bruyante, mais elle avait la capacité d'éradiquer la tristesse et le spleen sur son passage. Quand elle déboulait avec ses gros sabots, il ne restait plus beaucoup d'espace aux autres, aux humeurs et aux convictions dissidentes. Ce qui ne manquait pas d'exaspérer Camélia parfois, en particulier quand son envahissante amie sortait sa prétendue science.

Yvette était en effet une sorte de journaliste autodidacte qui écrivait des livres traitant de sujets sur lesquels elle n'avait aucune légitimité. Elle n'était pas médecin, n'avait aucun diplôme, ne travaillait ni auprès des mères ni auprès des femmes enceintes, mais s'était fendue d'un « Dictionnaire de la grossesse » et d'un « Guide de la maternité » - ceux-là mêmes qui prédisaient à la vie sexuelle de Camélia un destin tragique - qui, dans l'esprit d'Yvette, lui donnaient autorité. Et elle ne comptait pas lâcher facilement l'affaire du périnée !

Elle débarqua un beau jour chez Camélia à l'heure du thé, les bras chargés de fleurs, gâteaux et cadeaux pour les petits. Après avoir expédié les guili-guili d'usage, plongé Ryan dans les bras de Morphée et confié Martine, l'aînée, à Barbie dans sa chambre, les deux amies purent s'adonner à leur activité favorite : le papotage. Comment vont les amours ? Et le sexe ? Et ta sœur ?... Après quelques salves de confidences, de rires et de futilités échangées, Yvette annonça « J'ai encore un autre cadeau pour toi » et, joignant le geste à la parole, déposa devant son amie une petite boîte rectangulaire, enveloppée d'un ruban et de papier doré. Toute excitée, Camélia déchira le papier et découvrit une curieuse petite boîte noire, au suremballage transparent, révélant deux boules de quelques 5 centimètres reliées par un cordon. Camélia reposa l'objet sur la table et demanda, stupéfaite, à son amie :

– C'est quoi ce truc ?

– Ça, c'est un outil de musculation du périnée.

– Je t'ai pourtant dit que j'étais la Madame Muscle du périnée !

– Justement, il faut déjà avoir un bon contrôle et une tonicité de base pour pouvoir utiliser les boules de geisha.

– Ah, c'est donc ça des boules de geisha ? Je croyais que c'était des boules en émail anti-stress qu'on malaxait dans les mains…

– Non, pas tout à fait. Je crois que tu confonds avec les boules de santé chinoises. Ouvre le paquet, je vais t'expliquer comment ça marche.

Camélia obtempéra, dépouillant le chapelet de boules de son habillage plastique et tenant l'objet par son cordon telle une souris par sa queue.

– *L'idée, c'est d'introduire la boule dans le vagin par la seule force de ton périnée, reprit Yvette. Il faut ensuite que tu laisses à ton périnée le temps de s'approprier la boule, après tu pourras t'exercer à la faire descendre et monter en contractant tes muscles.*

– *Et pour quoi faire au juste ?*

– *Ben c'est comme pour tous les autres muscles du corps, plus tu les travailles, plus tu deviens fort. Avec les boules de geisha, tu travailles les cinq muscles du plancher pelvien qui ont des rôles complémentaires de fermeture, de relèvement, d'absorption des énergies de l'effort et de la gravité.*

– *Arrête de parler comme un livre et explique-moi simplement.*

– *Alors disons que le périnée, c'est le plancher*

de ta maison. Quand le plancher est contracté, l'habitacle est sécurisé, les fenêtres sont fermées et les portes sont verrouillées. Voilà !
– C'est pour éviter les fuites, si j'ai bien compris.
– Pas seulement, ça évite aussi la distension et la chute des organes, ça resserre le vagin et du coup, on a des sensations plus intenses quand on fait l'amour.
– Ah mais t'aurais dû commencer par ça !

Les deux amies pouffèrent, puis, après quelques dernières explications, passèrent à autre chose. Cependant, la curiosité poussa Camélia pour le moins intriguée à commencer dès le lendemain la première séance de ce curieux sport en chambre. Debout, fléchie sur ses jambes, bassin propulsé vers l'avant, elle commença à introduire la première boule à la façon d'un tampon puis la deuxième et tenta d'attirer l'ensemble plus profondément dans le vagin en contractant son périnée, « Comme si tu devais faire pipi et que tu te retenais » lui avait dit Yvette. Elle se mit ensuite en mouvement ainsi que le lui avait conseillé son amie ; « il faut que tu marches, que tu bouges ton bassin, que tu te mettes dans des situations où le périnée est naturellement sollicité ». Elle fit quelques pas, la sensation n'était pas franchement agréable. Les boules remplies de billes métalliques s'entrechoquaient en faisant un bruit incongru. Au bout d'un moment cependant, son vagin s'habitua à cette présence étrangère, il se mit à fraterniser avec les boules, à les faire valser en rythme, provoquant des vibrations qui résonnaient dans toute la cavité utérine. Camélia se sentait traversée de vagues et put constater, en allant aux toilettes, que son vagin s'était abondamment lubrifié « Mais c'est quoi ce binz ? ». Les boules semblaient avoir la faculté de stimuler son vagin malgré elle. Camélia continua à vaquer à ses occupations tandis que les boules poursuivaient leur œuvre. Leur frottement provoquait des vibrations qui allaient de plus en plus loin. Elle sentait à présent l'excitation la gagner franchement. Et pourtant, elle fut prise par surprise, quand penchée sur l'évier de la cuisine en train de faire sa vaisselle, un orgasme la secoua. Pas le genre d'orgasme à tomber par terre, juste un gentil petit orgasme domestique, mais tout de même, Yvette ne l'avait pas préparée à ça !

Camélia voulut en avoir le cœur net et, une fois les boules lavées et rangées, se lança dans une recherche « boules de geisha » sur Internet. Et de réaliser que cette coquine d'Yvette lui avait offert, sous le fallacieux prétexte de la rééducation périnéale, rien de moins qu'un *sextoy* ! Elle apprit le secret de son principe : la stimulation sexuelle viendrait de la séparation des boules qui émettraient deux notes différentes, l'une à l'intérieur du vagin et l'autre à l'extérieur. Ainsi, les vibrations magnétiques s'exerceraient comme un aimant, positif et négatif, faisant résonner les parois vaginales et provoquant des ondes de plaisir. Elle découvrit aussi les origines réelles de ces boules, que les geishas utilisaient moins pour en tirer du plaisir que pour décupler celui de leurs amants. Ainsi, ces boules étaient, paraît-il, réservées à un usage exclusivement masculin et destinées à être introduites dans l'anus des clients de ces dames. Au moment de jouir, la courtisane tirait sur la cordelette pour extraire brutalement l'ensemble du chapelet et décupler le plaisir du monsieur. Camélia trouva la perspective follement excitante et son imagination fut immédiatement bombar-

dée d'idées crapuleuses à expérimenter sous
la couette.

C'est que Clément, son mari, était, comment
dire, plutôt branché de l'anus. Il fallut plusieurs années et une complicité amoureuse
solidement éprouvée avant qu'il ne révèle ce
penchant, l'invitant à poursuivre ses lapements jusqu'à l'orifice anal ou à y introduire un
doigt lors de leurs rapports sexuels. L'organe
montrait d'ailleurs une appétence certaine
pour ces caresses, au lieu de se refermer dans
un réflexe, comme il était supposé le faire face
à toute tentative de pénétration. Camélia avait
d'abord trouvé cette inclination équivoque
pour un mâle dont la stricte hétérosexualité
n'avait jamais fait débat. Jusqu'à ce qu'elle
tombe sur un article apportant un éclairage
inattendu sur la libido masculine injustement
cantonnée au pénis. Chez l'homme, la zone

anale serait en effet particulièrement inner-
vée et donnerait accès au point névralgique du
plaisir masculin, une glande grosse comme une
châtaigne, situé sous la vessie et répondant au
nom exquis de prostate. Cette connaissance
avait décomplexé leurs pratiques amoureuses,
qui au fil du temps s'était même ritualisées.
Camélia prenait à présent de longues minutes
à lécher l'orifice anal de son homme, jouissant
du plaisir de le voir se ramollir, se dilater et
palpiter sous sa langue. Elle introduisait ensuite un doigt, voire plusieurs, puis remontait
le long de la paroi rectale, rencontrait son fruit
magique et le massait fermement jusqu'à dé-
clencher un orgasme prostatique. Elle aimait
le voir ainsi, confiant et soumis, la tête dans les
coussins et le postérieur offert. Elle pouvait se
sentir homme et l'imaginer femme, elle pos-
sédant, lui possédé, elle le pénétrant et lui se
donnant à elle.

Camélia comptait surprendre son mari le soir même, aidée en cela par ses boules de geisha, mais c'est finalement lui qui la surprit le premier en arrivant avec dans les bras, comme ça, gratuitement, un bouquet de lys, ses fleurs préférées. Malgré dix ans de mariage, il continuait à la traiter ainsi, comme une princesse. Pas un matin sans qu'il ne lui prépare son café, avec un petit mot doux s'il partait plus tôt qu'elle. Il étalait sa serviette sur sa chaise longue à la plage, lui prenait les bocaux des mains pour les ouvrir avant qu'elle ne demande, remarquait ses efforts quand elle se faisait belle, programmait l'enregistrement de ses séries préférées, renonçait à boire de la bière parce qu'elle en détestait l'odeur, gardait toujours pour elle au congélateur la meilleure glace, celle à la noisette enrobée de chocolat blanc. Clément était un mari généreux, un père présent, un amant plein d'imagination mais c'est par toutes ces

petites attentions qu'il la tenait vraiment. Il
avait un défaut cependant, il travaillait beaucoup, beaucoup trop, et Camélia avait parfois
du mal à voler des moments d'intimité sur son
si précieux temps. Ce soir encore, il était allé
se coucher avec des planches de chiffres et de
graphiques qu'il scrutait avec soin, le sourcil
froncé et l'air important, ce qui avait le don
d'émoustiller Camélia. Elle aimait particulièrement le « déranger » dans ses activités si
sérieuses, jusqu'à ce qu'il perde ses moyens,
laisse échapper ses dossiers et s'abandonne à
elle. Cette fois-ci, elle n'eut guère à insister, il
lâcha tout dans un murmure de satisfaction
dès qu'il la vit arriver dans son petit ensemble
à jupette, soutien-gorge *push up* et string
assortis, recouverts d'une nuisette ; pas une
pièce qu'il ne lui eut pas offert. Elle se mit sur
lui à califourchon et le taquina « j'ai une surprise pour toi, je l'ai cachée sur moi, il va fal-

loir que tu la trouves ». Aussi consciencieux qu'à l'accoutumée, Clément entreprit son jeu de piste, la débarrassant d'abord de la nuisette, puis du soutien-gorge en faisant sauter les agrafes d'une main experte. Il lécha les mamelons ainsi libérés, puis remonta à sa bouche tout en caressant son ventre, et descendit progressivement jusqu'au mont de Vénus. Il la débarrassa d'un geste sûr de la jupette au string incorporé, puis reprit ses caresses jusqu'à sa vulve où il buta contre un obstacle. « Mais... c'est quoi ça ? », puis découvrant le cordon de ses boules de geisha « Je crois que j'ai trouvé ma surprise », tout en paraissant finalement peu surpris.

À l'évidence, il n'y avait qu'elle pour tout ignorer de l'exploitation des boules de geisha à des fins érotiques. Camélia fut presque déçue de constater que son mari comprenait d'emblée tout l'intérêt de l'objet. Sa déception fut cependant vite emportée par l'engouement de Clément, qui porta ses lèvres à ses nymphes et, tout en lui administrant un cunnilingus ensorcelant, fit aller et venir les boules dans son vagin. La stimulation provoquée par l'ensemble des frottements, vibrations et caresses buccales amenèrent Camélia très vite à l'orgasme. Pas un orgasme petit bourgeois, non, là c'était du long, du lourd, du légendaire, la « petite mort » où corps et âme se rejoignent dans un spasme d'agonie. Quand elle eut retrouvé ses moyens, elle entreprit un voyage lingual jusqu'aux fesses de Clément, couché sur le ventre, vibrant déjà d'excitation. Ce soir-là, pour la première fois, ils ajoutèrent à leur rituel l'intromission d'un corps étranger qui fit si bien son œuvre que la jouissance fut fatale et plongea Clément dans une narcose presque immédiate.

Les boules de geisha voyagèrent encore beaucoup les jours suivants, d'orifice en orifice, de main en bite, seules ou accompagnées, lui derrière et elles devant, et vice-versa. Comme si un troisième partenaire s'était joint à leurs ébats. Parfois, Camélia les portait dans la journée et envoyait un SMS codé à son mari qui, le soir venu, à peine les enfants couchés, lui sautait dessus sans demander son reste. Adieu graphiques, chiffres, dossiers, il fallait d'urgence récupérer ces boules macérées dans la cyprine de sa femme avant qu'elles ne la fassent jouir sans lui ! Plus besoin de s'activer en longs préliminaires, les boules de geisha s'en chargeaient très bien, et les orgasmes se répondaient presque simultanément.

Et Clément savait se montrer reconnaissant. Pour leur anniversaire de mariage qui tombait quelques jours plus tard, il fit parvenir à Camélia un magnifique cadeau : une grande boîte carrée orange à bords noirs à l'effigie d'une calèche, marque de son joaillier préféré. Posé dessus, un mot de Clément revisitant le poème de Verlaine :

« J'ai fait ce rêve étrange et pénétrant
Une femme que j'aime, et qui m'aime,
Qui me porte sur elle, en elle, et même
Qui pense à moi en se caressant »

À l'intérieur de la boîte, elle découvrit avec stupéfaction et bonheur un collier de toute beauté, d'une originalité folle. Du fait main, avec amour et dextérité. De la belle ouvrage assurément puisqu'il était constitué, à l'exclusive, d'une série de boules de geisha, soit quatre fois deux boules vibrantes, à picots, métalliques et marbrées, reliées entre elles. Décidemment, ils n'avaient pas fini de s'amuser !

Idées de scénarios
à vous de jouer !

27. Envoyer des messages coquins à son amant et l'inviter, en pleine journée, à partager un déjeuner ou un 5 à 7 crapuleux.

28. Utiliser des boules de geisha pour muscler son périnée et acquérir ainsi la capacité de resserrer son vagin, à loisir, autour de la verge de son amant.

29. Se mettre en condition pour faire l'amour le soir venu en portant des boules de geisha dans ses occupations quotidiennes, laisser ainsi graduellement monter l'excitation et la lubrification vaginale.

30. Faire un cunnilingus en actionnant des boules de geisha ou un organe ou un autre objet allant et venant à l'intérieur du vagin.

31. Explorer la zone anale, stimuler l'anus et la prostate de l'homme, découvrir les plaisirs de l'anulingus, de l'orgasme prostatique et de l'orgasme anal, en se touchant tandis que le clitoris est poussé vers l'avant par la pénétration.

32. S'offrir ou se faire offrir des tenues affriolantes pour stimuler le sens visuel, prédominant dans l'excitation sexuelle masculine : nuisettes, ensembles à jupette, robes en latex, uniformes...

33. Pimenter les ébats en introduisant des sextoys, boules de geisha mais aussi godes, stimulateurs, plugs, anneaux, œufs ou canards vibrants.

Nom
d'une pipe !

Astrid

« Mais qu'est-ce que je suis venue faire ici ? » Statufiée sur son bout de chaise, Astrid gémissait mentalement. Elle se sentait comme une collégienne prise en faute, attendant dans le couloir l'appel du proviseur chargé d'une punition dont elle ignorait tout. Pourtant, personne ne lui avait forcé la main. C'était bien elle, elle seule, qui avait tapoté sur son écran, inconsciente et l'air de rien, cette phrase à priori anodine : « Et si on déjeunait ensemble demain ? » Prise au piège de sa propre audace, Astrid avait fixé l'écran, espérant que la force de son regard ébahi annule l'invitation. Elle aurait pu reculer d'ailleurs, « Finalement, je préfère qu'on arrête là », déconnexion, fin de la tentation et elle n'aurait sans doute plus jamais entendu parler de lui.

Mais, visiblement, ce n'était pas vraiment ce qu'elle voulait.

Bien sûr, l'inconnu du Net avait accepté la proposition. Et c'est ainsi qu'elle se retrouvait au lieu dit, en avance de surcroît, les jambes serrées et le cœur au galop, à attendre que « Bijoux Cailloux » brise l'horizon. Elle était arrivée la première au restaurant, une brasserie parisienne, valeur sûre et sans surprise, jetant son dévolu sur une table à proximité de la terrasse, qui lui permettait d'observer à la fois la rue et l'entrée. Il faisait un temps comme il en fait rarement à Paris. Dans la clarté lumineuse du soleil d'été, le ciel semblait plus profond que d'habitude et seules quelques fumées d'avion troublaient sa beauté immaculée. Les nuages s'étaient fait la malle et une brise légère balayait tout sentiment de lourdeur ou de moiteur. Astrid avait tout le temps, bien trop de temps, pour réfléchir à présent. Assez de temps pour se rendre compte avec effroi qu'elle ne savait rien de l'homme qu'elle allait rencontrer. Métis aux yeux verts, 1,72 m, 65 kg, artisan, célibataire, c'est à peu près tout ce qu'il avait mis dans son profil. Leur ping-pong verbal n'avait laissé que peu l'opportunité de se connaître.

D'ailleurs, à force de correspondre sur le site avec plusieurs personnes à la fois, elle finissait par ne plus savoir ce qu'elle avait dit, à qui elle l'avait dit, ce qu'on lui avait répondu, ou ce qu'elle avait demandé. La photo de profil qu'il avait choisie le représentait de dos, un chalumeau à la main : amusant certes mais suspect. Était-il si vilain qu'il n'osait se montrer ? Astrid observait à la dérobée les têtes qui l'entouraient, celles qui passaient dans la rue, celles qui venaient de loin, chacune d'elles pouvant

appartenir à son mystérieux correspondant.
« Pourvu qu'il ne vienne pas », se surprit-elle
à penser.

C'est qu'Astrid n'était pas coutumière des rendez-vous à l'aveugle. Elle avait même longtemps répugné à s'aventurer sur un site de
rencontre. Tel Woody Allen qui disait ne pas
vouloir d'une femme qui voudrait d'un homme
comme lui, elle n'aurait pas voulu d'un homme
qui fréquente ce genre de sites, même en ad-
mettant qu'elle-même le fasse. Astrid était
pourtant l'archétype de la fille 2.0, née avec
Internet, biberonnée aux nouvelles technologies, la main greffée à son *smartphone* et l'œil
rivé aux écrans. Réseaux, forums, blogs, chats
faisaient l'essentiel de sa vie sociale. Cependant, elle était encore bien trop engluée dans la
mythologie des premières rencontres, du coup
de foudre, du prince charmant et autres niai-

series, pour se résoudre à s'en remettre à une machine. Sous ses dehors de femme libérée, de trentenaire moderne et dynamique, Astrid était restée une midinette à la recherche de l'âme sœur. Une fille, plus conservatrice finalement que ne le laissait supposer son attitude primesautière. Bien qu'entreprenante, elle n'avait eu que peu d'aventures, dont aucune initiée sur le Net. Il lui semblait qu'il manquait l'essentiel à ces relations programmées : le tilt miraculeux de la première rencontre, le petit truc magique qui se dégage de l'autre et qui, d'un regard ou d'un geste, donne envie d'aller plus loin.

Lasse cependant de voir ce tilt initial se transformer en flop final et sentant venir le mauvais côté de la trentaine, elle s'était dit « pourquoi pas ? » Qu'avait-elle à perdre ? Elle s'était choisi un site, avait rédigé un profil succinct

de « grande gueule, à forte personnalité, légèrement envahissante, entière et un peu trop
directe » puis avait attendu qu'on morde à
l'hameçon, lequel fut littéralement déchiqueté
par la poiscaille venant de toutes parts. Les
messages privés, parfois pleins de poésie et de
sensibilité, mais plus souvent truffés de fautes
et de paresses verbales, arrivaient par dizaines
dans sa boîte. Bientôt elle se retrouva à mener
plusieurs relations virtuelles de front, sans jamais accepter d'en poursuivre aucune dans la
vraie vie. Parfois, elle allait fureter sur les pro-
fils de ces messieurs, c'est ainsi qu'elle découvrit la photo et le pseudo insolites de « Bijoux
Cailloux », connecté en même temps qu'elle :

*– Chou ! lui lança-t-elle. Je suppose que ce n'est
pas la première fois qu'on vous le fait ?*
*– Non, c'est vrai. Mais c'est toujours un plaisir
d'être appelé chou.*

– Chou, chou, chou, chou, chou, chou. Quel effet ça vous fait ?

– Ça me fait, comment dire, enfin je veux dire, ça me, je ne sais comment dire, enfin vous voyez ce que je veux dire.

– J'adooooore faire cet effet aux hommes.

– Et moi, j'adore les femmes qui me font cet effet.

C'est ainsi que de fil en aiguille, de répliques coquines en réactions complices, elle s'était retrouvée, sans trop savoir comment, à lui proposer, elle, ce premier rendez-vous en bonne et due forme. « Et si on déjeunait ensemble demain ? » Ce n'était pourtant pas son but. C'est même parce qu'elle pensait ne jamais le rencontrer, qu'elle avait perdu toute retenue, toute inhibition, trop occupée à prendre l'ascendant sur son compagnon de jeu en lui balançant ses réparties aussi surprenantes et

stimulantes que possibles. C'est d'ailleurs lui
qui avait gagné leur dernière joute, lui laissant
en message ultime avant le déjeuner.

– Quand même, je ne devrais pas accepter aus-
si facilement l'invitation d'une inconnue. Je
devrais te rendre les choses plus ardues, impo-
ser mes conditions... en te demandant de venir
sans culotte par exemple, non ?

Bien que culottée, Astrid, n'avait pas ménagé
ses effets pour cette première rencontre : une
robe courte en maille imprimée jaune et bleue
presque transparente, sur un soutien-gorge en
dentelle qu'elle savait particulièrement flat-
teur pour ses seins, une veste longue en soie
blanche par-dessus, des sandales assorties –
et qu'importe si leurs 9 cm de talon risquaient
de la faire tanguer – et un petit béret bleu posé
sur des cheveux ondulés au fer, puis ébourif-

fés en flou artistique. L'ensemble lui donnait un air à la fois canaille et classieux. Son maquillage était appliqué pour mettre en valeur ses atouts : ses yeux et ses longs cils, soutenus par un bleu profond, et sa bouche charnue, magnifiée par un rose couvrant et une touche de gloss. Quand son look lui sembla digne des pages glacées de magazine, elle se sentit enfin prête à être posée en vitrine.

Astrid aperçu Alain arrivant de loin et, bien que ne l'ayant jamais vu, pas même en photo, le reconnut aussitôt. Vêtu d'un tee-shirt et d'un jean, cheveux portés courts, boucle d'oreille discrète, agenda à la main, la démarche indifférente, il n'avait rien d'apprêté mais dégageait plutôt la virilité tranquille de l'homme habile de ses mains. Astrid avait imaginé ses lèvres plus épaisses, ses yeux plus grands, sa chevelure plus longue, mais il ne lui fallut pas long pour tomber sous le charme de ce petit mec, énergique et leste, mignon comme un chou. Dès les formalités d'usage expédiées, ils reprirent leur conversation là où ils l'avaient laissée, dans un enchevêtrement de phrases qui fusent. La serveuse passa une première, puis une deuxième fois, sans qu'ils ne soient en mesure de passer commande. Et, enfin servis, aucun des deux ne semblait s'intéresser à ce qui se passait dans l'assiette.

Astrid découvrait finalement ce métis, curieux mélange d'insouciance antillaise et de solidité bretonne. Quelqu'un qui aimait prendre de la vie les plaisirs simples qu'elle lui offrait, sans trop se poser de questions. Quelqu'un de lucide aussi, qui reconnaissait ses propres lâchetés d'homme, sans chercher à les dépasser pour autant. Quelqu'un qui avouait sans hésiter qu'il ne pouvait pas vivre seul mais qu'il aimait trop les femmes pour se contenter d'une seule. Et quelqu'un qui les aimait vraiment, les femmes, pour ce qu'elles avaient de plus que lui, pour leur courage, leur intégrité, leur grandeur d'âme et bien sûr, pour la jouissance qu'elles lui donnaient. Bref, un « pur », qui aurait choisi de vivre et de ne se priver de rien, un enfant un peu gâté peut-être, mais irrésistible. Un vrai gentil qui ne cherchait jamais à faire du mal, qui en faisait pourtant, par faiblesse, car il est si difficile parfois de dire la vérité, de dire non ou de dire adieu. Un homme passionnant même dans ses défaillances, car différent, justement, de ceux qu'Astrid choisissait de côtoyer.

Le sexe ? Ils en ont parlé bien sûr, de façon distante et désincarnée, évoquant des expériences passées et des fantaisies variées. Cependant, des mots comme « lécher » ou « baiser » suffisaient à provoquer une montée d'adrénaline. De même, difficile d'évoquer des courbatures provoquées par une bite de forte proportion à l'issue d'une trop longue fellation, les conditions préalables à la réussite d'un cunnilingus ou les effets sidérants provoqués par les lapements d'une langue experte sur l'anus, sans ressentir quelques démangeaisons. Ces démangeaisons furent d'ailleurs les premiers sujets de conversation des deux protagonistes reprenant leur chat, non plus sous forme de coups de feu sporadiques mais d'opération commando, les répliques fusant comme tirées à la mitraillette :

– Il me faut avouer que ta bouche a dépassé toutes mes espérances, commença Alain. Je n'ose imaginer ce que tu es capable de faire avec. Mais quand même, je suis un peu déçu, je t'avais demandé de venir sans culotte et tu ne l'as pas fait.

– Mais si, je l'ai fait ! poursuivi Astrid. Je ne portais effectivement pas de culotte.

– Vraiment ? Il m'a pourtant semblé apercevoir un bout de tissu sous ta robe, quand tu as croisé les jambes.

– C'est que je portais non pas une culotte, mais un joli string en dentelle.

– C'est de la triche ! Moi je voulais que tu sois nue sous ta jupette, pour que tu puisses sentir les chatouillis de l'air, tu comprends ?

– En effet, je comprends mieux maintenant... J'ai effectivement senti des chatouillis par là, mais je ne crois pas qu'ils venaient de l'air...

– Ah bon ? Quoi comme chatouillis ?

– Ah non, je ne peux pas en dire plus, c'est trop gênant, trop personnel. Sans compter l'état dans lequel ma description risquerait de te mettre. Je ne veux pas avoir à en assumer les conséquences. Et puis, tu peux bien imaginer, non ?

– Alleeez, sois gentille, parle-moi de tes cha-
touillis ! À quel moment as-tu commencé à les
ressentir ? »

Devant tant de sincères invitations à la confi-
dence, Astrid finit par céder. Elle lui décrivit
en détail l'effet que ses paroles, son sourire,
la légère insistance d'un de ses regards, son
déhanché à la fois souple et hardi avaient pro-
voqué en elle. Elle lui avoua également que ce
qu'elle n'avait pas pu voir – mais avait osé imaginer ! – l'avait troublée et que, dans ces mo-
ments-là, le fameux chatouillis avait pris de
l'ampleur et s'était soudainement accompagné
d'une légère humidification.

– Mais en fait, reprit-elle, n'as-tu pas ressenti
de ton côté quelque chose, comme un léger dur-
cissement au niveau de l'entrejambe ?
– Ah-ah ! lui répondit Alain, effectivement,

au moment où tu parlais de la façon dont tu te masturbais, ou dont tu te faisais lécher la chatte et les fesses, la façon dont ce mec te limait pendant des heures en te murmurant des cochonneries à l'oreille, mon sexe, d'un coup, est devenu plus lourd. Étant donné que je n'avais rien sous mon pantalon (pas comme toi), je le sentais vraiment grandir le long de la toile du jean. C'était assez sympa !

Ce ne fut plus que surenchère, chacun essayant de pousser l'autre dans ses derniers retranchements, de le manipuler, de garder le contrôle pour être à son tour contrôlé, manipulé, dépassé. C'était l'orgasme mental perpétuel, éreintant et addictif. Bien plus efficace que les tribulations érotiques d'une Fanny Miltrou immortalisées en vidéo ou les épanchements lubriques de quelconques quidams du courrier des lecteurs. Ils n'étaient pas ici spectateurs passifs, impersonnels témoins, mais acteurs inspirés d'une comédie érotique qu'ils mettaient eux-mêmes en scène. Astrid mit fin à l'épisode du jour en envoyant à Alain un dernier message, en forme de S.O.S. :

– *Non mais franchement, c'est malin ! Me mettre dans un tel état, alors que je n'ai aucun spécimen humain sous la main pour calmer mon ardeur. Je me sens si excitée que je serais capable de m'enfiler un pied de chaise... Qu'est-ce que je vais faire maintenant avec une chatte ruisselante et personne pour l'honorer ? Il va encore falloir que je me débrouille toute seule.... Demain, on calme le jeu, je te propose comme sujet de discussion : « De l'influence de la théorie hégélienne sur l'interchangeabilité des personnalités bipolaires par rapport aux principes existentialistes de Spinoza ».*
– *Je pense que c'est effectivement un sujet pas-*

sionnant, lui répondit Alain le lendemain. Je propose que nous en discutions la prochaine fois, de vive voix. En attendant, raconte-moi plutôt ce que tu as fait hier, avec ton pied de chaise.

– Pas grand-chose, hélas ! À force de penser à Hegel et à Spinoza, j'étais tellement épuisée que je me suis endormie tout de suite. Serais-tu capable de m'inspirer de nouveau ?

– T'inspirer ? Tu rigoles ? T'aspirer plutôt oui, t'aspirer toute entière. Et puis te donner ce que tu cherches le plus : aspirer ton con, le lobe de tes oreilles, ta bouche, ta langue, tes petits seins, ton ventre, ta croupe, puis, bien sûr, aspirer tes fesses, descendre doucement vers ton antre et ses lèvres, les enfouir dans ma bouche, t'aspirer, oui, t'aspirer la moule et fourrer ma main entière dans ce gouffre accueillant et gourmand. Puis enfin, te recracher, te recracher toute entière !

Désarçonnée par la crudité du propos, Astrid se promit de sauvegarder ce message pour animer ses nuits solitaires et lui répondit d'un petit mot :

– Quand ?
– Attention Astrid, je sens une faille dans ton système de défense. Ne me laisse pas m'y engouffrer, tu pourrais le regretter.

Pour tout ce qu'elles suggéraient, pour tout ce qu'elles autorisaient, ces dernières phrases firent sur Astrid l'effet d'une grenade dégoupillée jetée entre ses jambes. Bien qu'imminente, la déflagration lui paraissait encore trop longue à venir. Elle effleura d'un doigt sa vulve turgescente qui palpitait comme un cœur à vif. Elle écarta son slip, puis cette faille si justement mise à nu par son troublant correspondant, libérant aussitôt des arômes de stupre. Elle vint à la rencontre d'un clitoris qui n'en pouvait plus de gonfler et qui, reconnaissant le doigté averti de sa maîtresse, explosa en quelques secondes en un orgasme terrassant. Astrid avait certes joui, mais elle se sentait à peine apaisée. Elle comprit que quelque chose était en train de se passer. Que l'anodin avait laissé place au plus conséquent. Qu'elle glissait sur une pente savonneuse ouvrant sur un champ infini de sentiments et d'émotions, jusqu'au plus triviales. Elle savait aussi qu'elle avait déjà atteint son point de non retour, qu'il lui faudrait peu pour qu'elle abandonne toute résistance, désactive l'alarme pour de bon et ouvre grand l'entrée de son être si intimement verrouillée jusqu'ici. Elle n'eut pas à attendre ou à chercher l'occasion puisqu'elle devait revoir Alain le lendemain pour un nouveau déjeuner, prévu bien avant son avertissement voilé. Ce déjeuner s'avéra aussi complice et enjoué que le dernier mais bien plus chargé encore en énergie sexuelle. Une tension sourdait et brouillait l'attention des protagonistes. Ils n'étaient plus dans l'ici et maintenant, ils étaient dans tout ce qui pourrait être. Se cherchant, parlant cul, parlant cru, lançant les paroles en coups de butoir et se cuisinant jusqu'au dessert, qui les amena au sujet « gâteries ».

– En fait, t'es une crâneuse, attaqua Alain. T'arrête pas de m'allumer avec tes talents de suceuse, mais si ça se trouve, c'est du pipeau.
– Je peux te prouver le contraire tout de suite, répondit Astrid, sans l'ombre d'un trouble.
– Arrête, t'es pas cap.
– Vas t'enfermer dans les toilettes et je viens te rejoindre dans cinq minutes, tu verras si je suis cap ou pas...

Un instant interloqué, Alain n'avait pas bougé. Il semblait chercher dans les yeux d'Astrid, un signe, une pointe d'espièglerie qui laisserait supposer un « Nooon, je rigole ! ». Puis, ne voyant rien venir, il s'en alla diligemment, sans un mot, suivi quelques instants plus tard par une Astrid pressée d'en découdre avec la jeune fille modèle et bien éduquée qu'on lui avait toujours demandé d'être. Elle n'allait pas vers le plaisir mais au champ de bataille. Elle pensait trouver l'homme en attente derrière la porte, les bras croisés et sa virilité tendue, avide de rencontrer l'instrument de sa jouissance, mais c'est un ouragan qui s'abattit sur elle dès qu'elle fit irruption dans ce mètre cube d'air vibrant de désir, si compact qu'il semblait devenu solide. Alain lui remonta furieusement la robe, s'accrocha à ses cuisses et prit possession de sa bouche dans un baiser vertigineux. Surprise par un tel assaut, cette rage fit perdre à Astrid ses dernières inhibitions. D'un geste rapide et sûr, elle ouvrit la ceinture de l'homme, plongea dans son pantalon pour lui saisir les fesses. Elles étaient chaudes et rondes. Elle aurait voulu qu'il se retourne, qu'il se courbe, qu'il l'autorise à les admirer, à les lécher, à les sentir palpiter et se dérober mais, pour l'heure, c'était une autre partie de son anatomie qui réclamait son dû. Avec regret, les mains d'Astrid quittèrent ce postérieur prometteur pour commencer leur exploration frontale. Une masse tumescente enflamma ses paumes. Délicatement, elle déploya la verge et ne put réprimer un gémissement d'heureuse surprise. Il avait dit posséder un membre de taille respectable, elle découvrit bien mieux que cette modeste description : une belle grosse queue sculpturale, bronzée, au calibre parfait et régulier, ponctuée d'un gland évasé et rouge, comme une énorme langue. Elle ouvrit sa bouche et tenta d'engloutir ce substitut d'anaconda. Lentement, elle fit coulisser ses lèvres et accompagna le mouvement d'une langue bien éduquée. Tandis que les unes s'évertuaient à exciter la dague phallique sur toute la longueur, l'autre s'ingéniait à titiller le gland.

Alain, les doigts enchevêtrés dans la chevelure de cette tête rivée à son bas-ventre, ouvrait et fermait les poings, tandis que le va-et-vient s'accentuait et s'intensifiait. Dans une pulsion, il empoigna Astrid, la fit remonter à sa bouche et l'embrassa encore. Elle voulut redescendre, honorer comme il se devait ce membre exceptionnel, mais Alain semblait déterminé à fausser le scénario établi. Il essayait de la toucher, lui arrachant presque la culotte en dentelle dont elle s'était affublée. Il voulait voir la touffe secrète que cette étoffe étouffait. Il vou-

lait toucher, humer, s'enivrer de ce vagin ruis-
selant, dont ils ont si souvent parlé et qui restait pourtant un mystère. Et quand il perçut la
fente, quand le chemin se dévoila enfin, quand
il découvrit ce délicieux vallon bombé dont les
poils enchevêtrés en boucles claires se dispu-
taient l'entrée, son trouble fut tel que sa main
en devint presque timide. Cette féminité ronde
et douce, presque enfantine, appelait pourtant
à la vigueur. Et le mâle à son contact s'enhar-
dit, poursuivant sa quête, partant explorer
cette intimité poisseuse, s'enfonçant et se
noyant dans les rus de mouille. Quand Astrid
le vit baisser sa tête en direction de ces lèvres
interdites, sortir une langue longue, droite et
brune, elle réprima un cri et le repoussa de
toutes ses forces, haletant : « Arrête, je t'en
prie, c'est pas possible, je sais pas être discrète.
Je t'en prie, laisse-moi faire, laisse-moi juste
t'entendre jouir ». Elle s'assit et happa entre

ses lèvres la verge érigée, l'engloutit sans répit, la posséda jusqu'à en extraire l'essence et l'être tout entier. Et le pieu, violent et dur, s'enfonça dans sa gorge si loin que déjà elle n'en pouvait plus. Elle le sentait pourtant devenir plus gros encore, perdit prise, s'affala en arrière, clouée au mur par les coups de reins du mâle haletant, réduite à la force primaire de son instinct animal. Elle était au bord de la nausée quand, dans un dernier râle, il s'écroula et déchargea enfin.

S'étranglant en rires étouffés, ils tentèrent de reprendre une respiration normale. Elle sortit de la cabine la première et apprécia le spectacle sans équivoque que lui renvoyait la glace : maquillage défait, regard allumé, cheveux emmêlés, collés au visage par la sueur. Elle essaya de limiter les dégâts de quelques gestes vains, puis reprit la contemplation de son nouveau visage de femme libérée. Elle se sentait puissante, vivante, toute honte bue. Elle se répétait en boucle, sans pouvoir y croire encore, « Tu l'as fait ! Putain, tu l'as vraiment fait ! » Elle avait dépassé ses limites et elle en était fière. Oui, elle en était fière ! Alain sortit des toilettes à son tour. Ils échangèrent à travers la glace un regard plein de tendresse et de reconnaissance. Il l'embrassa dans le cou et lui dit, avant de s'éclipser :

– La prochaine fois, ce sera à mon tour de te faire jouir.

Idées de scénarios
à vous de jouer !

34. Remiser les mythes du prince charmant et du coup de foudre, séparer le sexe du sentiment pour s'ouvrir aux aventures et à l'exploration érotique.

35. S'encanailler sur les sites de rencontre, sans forcément donner suite.

36. S'adonner aux plaisirs solitaires, car on n'est jamais aussi bien servi que par soi-même.

37. Offrir une fellation à son homme, en veillant à stimuler toutes les parties, du gland à l'anus en passant par les bourses.

38. Renforcer la complicité du couple et se mettre en condition par l'échange de messages crus, câlins ou coquins (post-it, SMS, e-mails, chats, messages privés).

39. Se raconter mutuellement ses fantasmes.

Braquée

Aurore

À présent, le taxi n'avançait plus du tout. Il restait obstinément englué dans le magma tonitruant de l'heure de pointe, dans l'indifférence de son conducteur. Esclave de cette carcasse métallique, le haut des cuisses collées au cuir du siège, Aurore arrivait au bout de sa patience. Sa journée lui avait déjà paru interminable, à gérer des problèmes auxquels elle penserait encore ce soir et qui envahiraient probablement sa nuit. Cependant, en plus de son lot quotidien de chef d'entreprise, elle avait tenu une conférence en fin de journée, où rien ne s'était déroulé comme prévu. Sans doute découragés par le temps épouvantable qu'il faisait sur Paris – et parce que, de nos jours, les clients annulent sans prévenir et sans culpabiliser –, la moitié des participants étaient absents. L'équipe était arrivée en retard, oubliant au bureau les tablettes qui devaient circuler dans la salle. Aurore avait tenté de dompter sa rage intérieure le temps de la conférence, elle avait même réussi à traiter ses clients et prospects avec l'affabilité requise, mais chacun des employés présents savait qu'il en prendrait pour son grade dès le lendemain.

Pour l'heure, Aurore n'avait qu'une envie : rentrer chez elle et remiser son tailleur dans le dressing pour s'ébrouer librement dans sa petite maison cossue, rien qu'à elle. N'en pouvant plus, elle aboya « Laissez-moi ici », régla son dû au taxi, le regard assassin en pourboire. Elle fila dans l'atmosphère crépusculaire et bruineuse de l'avenue. Elle n'avait qu'à poursuivre devant elle, traverser la place du marché et elle serait déjà dans sa rue. Aurore se mit en

branle d'un pas pressé, obsédée par l'idée de se
débarrasser enfin de son soutien-gorge et de
ses chaussures qui lui brulaient la chair. Elle
était arrivée à la hauteur du marché, tenant
d'une main le col de son manteau et de l'autre
son sac à main à bout de bras, quand, tout à
coup, quelque chose se produisit. Quelque
chose d'un coup de tonnerre silencieux, trop
court pour laisser à la conscience le temps de
le percevoir. Quelque chose qui la laissa nue,
impuissante et désemparée, comme si on lui
avait baissé la jupe au milieu de la rue : on venait de lui arracher son sac à main. D'un coup
sec, par derrière. Le temps de réaliser, de se
retourner, et le voleur était déjà loin, cavalant
dans son survêtement à capuche. Ce n'était
plus qu'un fantôme filant dans le crépuscule
emportant avec lui une partie de sa vie. Et Aurore restait là, les bras ballants, réalisant peu
à peu ce qui venait de se passer et hurlant en

boucle dans la brume déserte « C'est pas possible ! Mais c'est pas possible ». Il y a quelques années encore, mue par un réflexe vengeur et la volonté d'avoir le dessus, coûte que coûte, elle se serait accrochée au sac, elle aurait couru après le voleur, elle l'aurait peut-être même attrapé et, à la fin, elle lui aurait fait mal, à lui ! Mais là, lestée du poids des responsabilités, de l'âge et des talons trop hauts, elle restait figée dans l'aquoibonisme. Abattue par un vulgaire vol à l'arrachée, elle était devenue une victime.

Puis vint le temps des emmerdes : trouver un serrurier d'urgence, bloquer les cartes bleues, faire opposition aux chèques, appeler l'opérateur de téléphone mobile, procéder à l'inventaire de tous les petits lambeaux de vie volés, pleurer sur son Montblanc, dernier cadeau de son père avant que le cancer ne l'emporte, et bientôt, refaire ses papiers, ses lunettes...

Et prévenir la police, bien sûr. Au téléphone, l'agent d'accueil la bombarda de questions forgées par l'habitude et lui demanda de passer au plus vite. Ce qu'elle fit, toujours engoncée dans son tailleur, son soutien-gorge et ses talons hauts qui avaient perdu de leur importance, balayés par un élancement bien plus cuisant. Après avoir pénétré dans le bunker du commissariat, attendu à l'accueil, attendu devant la porte des bureaux, attendu dans la pièce exigüe garnie de meubles fonctionnels et d'ordinateurs d'un autre âge, un agent en jupette entreprit de lui poser la litanie de questions réglementaires. Aurore lui répondit avec l'application de la petite fille interrogée par la maîtresse. L'agent notait soigneusement les réponses dans le cliquetis de la machine à écrire : « Conformément aux instructions... constatons que...agissant en flagrant délit... vu les articles 53 et suivants du Code de procédure pénale...Entendons Madame Aurore Jacobs qui nous déclare...» Description des faits, puis de l'auteur, non sans labeur : « L'individu était jeune, environ 17 ans mais sans certitude, a priori de corpulence svelte, de taille moyenne et de type européen. Je ne serais pas en mesure de le reconnaître. Il était vêtu d'un sweat à capuche me semblant être de couleur bleu marine sur un pantalon plus clair ». Aurore avait toujours pensé qu'elle ferait un piètre témoin pour une identification et l'expérience lui en fournissait aujourd'hui la preuve. Elle prit conscience que les chances d'attraper le voleur frisaient le zéro et se dit que, finalement, il avait raison. C'était si facile de lui voler son sac à main qu'il aurait eu tort de se priver. Assise dos à la porte, Aurore en était à décrire en détail le contenu de son sac à main « en cuir brun-prune, fermé par une double fermeture à glissière et avec des anses », quand un homme

pénétra dans la pièce, salué par l'agent d'un
« Bonjour monsieur le commissaire ». Il s'ac-
tiva dans le dos d'Aurore, tandis qu'elle continuait son inventaire, puis se positionna derrière l'agent, adossé à un bureau et faisant face
à Aurore, pour consulter son dossier. Il dégageait une détermination tranquille qui forçait
le respect. Aurore l'observa à la dérobée. Elle vit
la plaque de son nom agrafée à son torse et n'en
crut pas ses yeux. Pourtant, c'était bien mar-
qué là : Braquemart, il s'appelait Braquemart !
Non mais je rêve ! En d'autres circonstances,
le nom lui aurait paru tordant mais là, il sonnait comme une excitante promesse. Aurore
passa mentalement le commissaire Braquemart au scanner : « L'individu avait la quaran-
taine, il était grand, avec de larges épaules un
peu tassées. Il portait une barbe de trois jours,
le sourcil épais et les cheveux courts. Il était
vêtu d'une longue veste noire sur un tee-shirt

gris clair qui soulignait ses pectoraux bien dessinés ». Sentant dérailler sa déposition mentale, Aurore se ressaisit pour se concentrer sur son procès verbal, sans pouvoir pour autant évacuer un certain trouble. À présent c'était l'homme qui l'étudiait. Il en avait visiblement fini avec son dossier mais restait là, sans bouger, à la regarder, d'abord en surface puis plus intensément. Pénétrée par ce regard insolent, presque indécent, Aurore se sentait de nouveau nue, impuissante et désemparée. Et pourtant, elle aurait mis sa vie entre les mains de cet homme, comme si son bourreau et son sauveur n'étaient cette fois-ci qu'un.

Le commissaire resta planté là, sans but ni raison, jusqu'à la fin de la déposition d'Aurore. L'agent rassemblait les papiers à signer quand le téléphone l'interrompit pour lui signaler un problème à l'accueil. Le commissaire déstatufié s'approcha de la gardienne de la paix et lui dit, avec déjà une main sur son siège « Vas-y, je prends le relais ici ». Elle se leva, prit poliment congé et sortit de la pièce mais, plutôt que de prendre la place restée vacante, le commissaire préféra s'installer moitié debout moitié assis au plus près d'Aurore. Il la toisa tout en posant les procès verbaux devant elle, qui s'empressa de les signer pour noyer son trouble. Son cœur battait jusque dans sa gorge. Une partie d'elle-même voulait fuir, une autre voulait qu'il s'approche plus près encore. Quand elle lui remit les documents paraphés, elle ne lâcha pas immédiatement prise, plongeant ses yeux dans ceux du commissaire, comme hypnotisée. Il lui demanda, d'un ton neutre, froid, qui laissait difficilement deviner s'il était inquiet ou menaçant :

– Vous avez pensé à changer vos serrures ?

– *Oui, c'est la première chose que j'ai fait, répondit Aurore d'une voix mal assurée.*

– *Méfiez-vous tout de même, restez vigilante dans les tout prochains jours.*

– *Vous savez, c'était un acte impulsif, je ne vois pas pourquoi il reviendrait me chercher.*

– *On voit de tout, je vous assure. Certains voleurs font une fixation sur leur victime et profitent des informations qu'ils ont récoltées pour les harceler.*

– *Eh bien, me voilà rassurée.*

– *Tenez, prenez ma carte, appelez-moi s'il y a quoi que ce soit…. Je dis bien, s'il y a quoi que ce soit !*

S'il y a quoi que ce soit ? Une attaque de gang ? Un chat coincé dans l'arbre ? La voiture qui ne démarre pas ? Une inondation, un feu qui prend au niveau de l'entrejambe ? Non mais, il voulait dire quoi ? Il voulait quoi ? Il allait se passer quoi maintenant ? Obnubilée par les spéculations les plus insensées, submergée par l'adrénaline et d'autres hormones plus vicieuses encore, Aurore fut incapable de trouver le sommeil ce soir-là. Elle était devenue une petite chose aux abois, sursautant au moindre bruit suspect. Elle se levait parfois, regardait par la fenêtre, puis se recouchait, les yeux grands ouverts. Vers quatre heures du matin, abrutie de fatigue, le sommeil la prit finalement en flagrant délit. Elle plongea dans des rêves plus inquiétants encore que ses préoccupations diurnes. Un violeur masqué la poursuivait armé d'un braquemart, sauf que la dague avait en effet la forme d'une énorme bite. Elle courait de toutes ses forces pour lui échapper mais ses jambes patinaient dans le vide, elle voyait le violeur s'approcher puis la rattraper. Elle criait, le mordait, se débattait tandis qu'il essayait de l'immobiliser. Elle réussit à lui arracher sa cagoule et découvrit le visage échevelé du commissaire sous le masque. Elle fut prise d'un profond soulagement, se sentit littéralement fondre en lui, puis se retrouva comme un fœtus à l'intérieur de lui. Elle se réveilla à ce moment-là, et voyant qu'il était déjà 8 heures, sauta du lit, remit son costume de parfaite petite patronne et alla diriger son monde, main de velours dans un gant de fer. Le soir venu, l'angoisse réapparut. C'était une angoisse bizarre, languissante. Elle attrapa la carte de visite du commissaire épinglée dans la cuisine, la tritura, la tourna et la retourna, puis, n'y tenant plus, prit le prétexte d'une ombre inquiétante devant la fenêtre pour l'appeler.

Un quart d'heure plus tard, il était devant sa porte, en uniforme, excitant comme le diable en personne. Il portait une casquette souple marquée « Police », une chemise bleu glacier, un pantalon assorti sur des chaussures montantes de type commando. Un blouson ouvert laissant apparaître une matraque ainsi qu'une arme de service et une paire de menottes attachées à son ceinturon. Une radio crépitait dans l'une de ses poches. Aurore ressentit le même soulagement que dans son rêve. Cet homme était à sa place, à remplir l'unique fonction qui devrait être la sienne, à savoir, la protéger, elle. Aurore aurait voulu avoir mal à nouveau, juste pour qu'il la secoure et la sauve. Elle aurait voulu qu'il lui donne du mal, qu'il ordonne, qu'il prenne, qu'il lui fasse bouffer son braquemart, qu'il lui enfonce cette matraque dans le ventre en lui tenant le révolver sous le menton... La sueur perlait dans son dos tandis qu'elle se mettait ainsi en transe, tout en entretenant une conversation des plus normales avec M. le commissaire. Ce dernier déambulait de pièce en pièce, jetant un œil par le store ici, ouvrant et refermant une fenêtre là. Rongée par un mal invisible, Aurore se sentait devenir autre, vilaine fille réclamant châtiment. Au moment du départ, elle glissa au commissaire sur le pas de la porte :

– Merci d'être passé et de faire votre possible pour attraper le voleur. Je tiens beaucoup à mes affaires et je suis prête à tout pour qu'on les retrouve.
– Et que ferez-vous si je les retrouve ?
– Tout ce que vous voudrez. Vous pourrez me demander tout ce que vous voudrez.

Durant les temps qui suivirent, Aurore reprit peu à peu une activité normale, tandis que le trouble quittait son corps comme une sale maladie. Chaque jour, elle pensait un peu moins à son commissaire et à l'incident qui l'avait mis sur son chemin. Elle croyait même l'avoir presque oublié quand un événement vint remettre les pendules à l'heure. C'était en plein milieu d'une journée de folie qui l'avait fait cavaler de rendez-vous en réunions, sans que son tailleur ne prenne un pli. Aurore estimait qu'il allait de sa crédibilité de rester toujours impeccable. Elle ressemblait à une publicité pour déodorant à chaque fois qu'elle rentrait dans une pièce, le port altier, la taille fine et marquée, les jambes interminables sous une jupe dont la longueur était calculée au millimètre près. Son visage était lui aussi irréprochable et, sans le petit rictus au coin des lèvres et le froncement de sourcils parfois occasionnés par la contrariété, son public aurait pu la croire de marbre. Elle était assise à son bureau en train de corriger une proposition qui devait partir dans l'heure quand l'événement se produisit. Sa secrétaire l'appela et lui dit « y'a un certain commissaire Braquemart qui vous demande ». Aurore sentit sur l'instant une brûlure la transpercer par le bas. Elle resta sans voix l'espace d'une seconde puis répondit, le plus naturellement possible « J'arrive ». Il l'attendait dans le hall, impassible et posé là, portant le même uniforme que l'autre soir, une grosse enveloppe à la main. Elle se dirigea vers lui, aussi droite que sa jupe, et lui serra la main, professionnelle et souriante :

– Monsieur le commissaire, que me vaut ce plaisir ?
– Je crois que j'ai trouvé quelque chose qui vous appartient, répondit-il tout sourire, en lui montrant l'enveloppe.
– J'en suis ravie, si vous voulez bien me suivre dans mon bureau. Puis, se tournant vers sa secrétaire, elle ajouta : Veillez à ce qu'on ne me dérange sous aucun prétexte.

Une fois dans l'office, le commissaire posa sur le plateau, un à un, les objets contenus dans l'enveloppe, dont le portefeuille, le téléphone et, prise ultime, le fameux stylo Montblanc... Il s'installa ensuite face au bureau, dans sa position habituelle, mi-debout mi-assis. Aurore ferma prestement le store resté ouvert, puis reprit sa place derrière le bureau, en tentant de réprimer le tremblement de ses jambes et l'humidification de son entrecuisse. Fondant de trouble et de reconnaissance, elle lui demanda :

– Comment avez-vous fait pour retrouver tout ça ?

– Qu'importe ! L'essentiel, c'est que j'ai retrouvé vos affaires. Vous m'avez fait une promesse, vous vous souvenez ?

– Oui, je me souviens.

– J'ai fait ma part, maintenant, c'est à vous de jouer.

– Vous voulez quoi ?
– Tout, mais pour l'instant, lève-toi et viens là !

Le changement de ton et le brusque tutoiement achevèrent de captiver Aurore. Elle avait perdu son libre arbitre quelque part entre les plis de sa vulve. Elle avait tombé le masque, il ne restait rien du costume de parfaite femme d'affaires qu'elle avait passé tant d'années à tisser. Elle n'était plus qu'une petite fille soumise à plus puissant qu'elle. Elle vint se placer devant le bureau, légèrement adossée au plateau, à bonne distance du commissaire, qui lui ordonna : « Ote ta culotte ». Elle s'exécuta, rouge d'émoi, et posa le bout de tissu à côté d'elle. Il lui dit encore « maintenant, remonte ta jupe », ce qu'elle fit jusqu'à la lisière du mont de Vénus. « Plus haut » insista-t-il. Elle dévoila enfin la pelouse parfaitement tondue de son intimité et attendit les ordres de son maître :

« Et maintenant, touche toi ! » Aurore posa le bout de ses doigts sur ses lèvres gonflées, par-dessus le duvet. S'appuyant sur l'index et l'annulaire, elle accentua la pression du majeur à travers la peau. Elle n'eut pas besoin d'explorer plus loin, de chercher derrière les lèvres, les peaux et les muscles tendus, pour sentir son clitoris, le seul organe du corps humain dont l'unique fonction est de donner du plaisir, réagir et répondre. Elle ferma ses yeux, tenta de contenir le rythme de sa respiration et des battements de son cœur, lequel faillit ressortir par sa gorge quand les spasmes de l'orgasme la traversèrent. Elle serra les dents en émettant une plainte sourde, une main agrippée à sa chatte et l'autre au bureau.

Le commissaire attendit quelques instants, assez pour qu'elle reprenne ses esprits, mais pas assez pour qu'elle se rhabille. Il se plaça au plus près d'elle, l'obligea à le regarder en lui soulevant le menton et gronda : « Tu as été une très, très vilaine fille, tu mérites d'être punie ». Aurore entendit un clic, se vit retournée d'une prise énergique, entendit un deuxième clic en basculant sur le ventre, et se retrouva couchée sur le bureau, les mains menottées, avant de comprendre ce qui lui arrivait. Le commissaire lui maintint la tête sur le plateau, de façon ferme mais sans douleur, puis l'embrocha d'un coup sec. Le braquemart du commissaire Braquemart était à présent profondément planté en elle. Il lui suffit de quelques coups de butoir pour jouir à son tour. Il se retira rapidement, expédia son préservatif à la poubelle et referma l'antre maléfique dans un zip bref, tandis qu'Aurore retrouvait laborieusement sa verticalité. Il attrapa la culotte, la porta à son nez, huma l'odeur de cyprine et lâcha, en guise d'au revoir « Celle-là, je te la ramène ce soir ».

Aurore avait passé chaque minute, chaque seconde du reste de la journée à ne penser qu'à ça, l'entrejambe à nu et les nerfs à vif. Elle ne s'était pas changée en rentrant chez elle pour rester dans la poisse de son désir pour lui.

Le commissaire arriva en civil, tard dans la soirée. Dès qu'il eut franchi le seuil de sa maison, ils s'embrassèrent sans un mot, le souffle court. Elle tenta de lui mordiller la lèvre mais il stoppa son entreprise, la maintenant à une respiration de sa bouche, puis il descendit la main le long de sa nuque et fit valser sa veste de tailleur. Il reprit son baiser et c'est elle cette fois-ci qui lui fit tomber le blouson. Ils se déboutonnèrent de concert en se dirigeant vers la chambre à coucher, semant leurs vêtements sur le passage comme autant de pierres du Petit Poucet. Ils étaient entièrement nus le temps d'arriver au lit. Son corps était massif et imposant, tout de nervures viriles, et sa queue, mon Dieu sa queue !, donnait tout son sens à son curieux patronyme. Il lui fit l'amour avec intensité, mais cela ne lui suffisait pas. Aurore voulait sentir le mâle en elle, sentir le mal en elle. Elle le supplia « fais-moi mal ». Il lui mordilla les mamelons, lui tira les cheveux vers l'arrière, lui griffa le dos, envoyant autant d'impulsions électriques à son vagin.

Elle se sentait vivante comme jamais mais elle en voulait plus. « Frappe-moi », implora-t-elle encore. Et la gifle partit, provoquant une douleur éphémère. Une autre gifle frappa l'autre joue, puis une troisième aux élancements tout aussi vains. Son corps se cabrait et en demandait encore. La quatrième gifle fut à peine plus forte mais Aurore sut à l'instant qu'elle laisserait une marque cuisante. Elle jouit dans la foulée, le corps meurtri dans un total abandon.

Plus tard dans la nuit, couchée à côté de ce type avec qui elle n'avait pas échangé dix phrases depuis qu'ils s'étaient vus pour la première fois et qui, aujourd'hui, remplissait son lit et sa vie, Aurore se leva pour aller se regarder dans le miroir. Ses yeux habituellement noisette étaient d'un marron presque noir. Elle rassembla ses longs cheveux noirs en queue de cheval et contempla la trace laissée sur son visage. La claque avait bien formé l'hématome escompté. On pouvait nettement distinguer cinq doigts et le renflement de la paume sous le pouce.

Elle était à présent marquée. Marquée du sceau de son maître, comme une bête, une bête à sa merci. Elle n'aurait plus à réfléchir, à décider, elle n'aurait plus qu'à le suivre. Elle avait sur son visage la preuve de ce qu'elle avait presque immédiatement pressenti : elle appartenait à cet homme pour toujours.

Idées de scénarios
à vous de jouer !

40. Passer sa journée sans culotte, la chatte à l'air.

41. Faire des jeux d'échange de pouvoir et des jeux de rôles (élève et professeur, patient et docteur, gendarme et voleur...) en portant les uniformes qui vous font fantasmer.

42. Pratiquer le BDSM (bondage et discipline, domination et soumission, sadomasochisme) soft : griffures, morsures, petites claques et fessées entre adultes consentants, pour profiter de l'effet euphorisant de la douleur, physique ou cérébrale, transcendée par la charge d'endorphine et d'adrénaline produite par le corps.

43. Se déshabiller mutuellement avant de se retrouver au lit.

44. Se masturber devant l'autre jusqu'à la jouissance.

Ce n'est pas comme ça que tu réussiras dans la vie !

Bettina-Layka

Bettina-Layka avait toujours eu la nature fantasque et l'imagination débordante. C'est d'ailleurs elle qui, à son entrée en 6ème, décida que son prénom Bettina était bien trop banal et méritait une composition plus romanesque. Elle avait choisi Laïka, le nom d'une chanteuse hispano-marocaine, devenu Layka quand elle découvrit que c'était aussi le nom du premier chien envoyé dans l'espace. Quoi que l'analogie eut été fondée : Bettina était née la tête dans les nuages. Elle avait commencé à parler tard, mais n'avait cessé de se rattraper depuis.

Dès qu'elle en eut les moyens intellectuels, elle se mit à raconter des histoires, des salades, des fables à la limite de la mythomanie. Elle y mettait tant de cœur et de conviction, que les frontières entre faux et vrai se brouillaient. Elle finissait parfois par croire à ses propres mensonges, plongeant ses géniteurs dans la consternation « Ce n'est pas comme ça que tu réussiras dans la vie, ma fille ! ». Craignant pour sa santé mentale et soucieux de la remettre dans les rangs, ses parents l'envoyèrent au pensionnat, où elle s'inventa somnambule. Elle se couchait chaque soir, faisait semblant de dormir, puis jouait au zombie, jubilant intérieurement d'entendre la gardienne du dortoir exhorter ses copines à « ne surtout pas la réveiller » pour ne pas la traumatiser. C'est au pensionnat d'ailleurs, que Bettina-Layka crut trouver sa vocation : actrice, ou plutôt, comédienne, ça faisait plus classe. Et en attendant la gloire sous les feux de la rampe, elle était bien déterminée à transformer sa vie réelle en scène de théâtre.

Le monde cruel de l'adolescence eut raison de son utopie. Elle découvrit alors un moyen plus sûr encore d'inventer sa vie, de fabriquer son monde à elle : l'écriture. Sa plume lui permit de donner enfin libre cours à son imagination, en laissant galoper les mots de son esprit au papier, dans l'euphorie et la solitude. Elle traversa l'adolescence en noircissant des pages et des pages. Elle devint logiquement conceptrice/rédactrice dans la publicité quand l'âge adulte fut venu et même, plus tard, auteur pour un grand éditeur parisien, jusqu'à incarner une valeur sûre dans le créneau de la littérature de poulette. À chaque projet, elle mettait tout son cœur à l'ouvrage. Elle ne vivait plus qu'à moitié, dans une sorte de brouillard, l'esprit occupé à imaginer les prochaines lignes à écrire. Elle rendait un manuscrit dans lequel palpitait son âme, une œuvre qui devait changer le monde et qui ne faisait qu'alourdir les

étals des libraires, ouvrage parmi d'autres pro-
mis à un destin de plus en plus éphémère. Elle
avait appris à se faire une raison, à envisager
chaque livre comme un enfant qu'on met au
monde pour s'en détacher ensuite et le laisser
vivre sa propre vie.

Côté cœur, elle eut des aventures amoureuses,
tardives mais intenses, toujours décevantes
quand l'exaltation des premiers instants se
transformait en sentiments ordinaires, bien
trop tièdes à son goût. Une ravissante jeune
fille, tout en longueur et en courbes gracieuses,
avait émergée de la chrysalide adolescente.
Son visage pâle de rousse, constellé de tâches
de rousseur en camaïeu, lui donnait une déli-
catesse préraphaélite à laquelle peu d'hommes
restaient insensibles. Elle les avait tous es-
sayés, d'ailleurs, les ténébreux, les tatoués, les
gothiques, les rastas, les décrocheurs de lune,

les collectors, les espèces rares promettant l'extrême et l'ailleurs. Elle était revenue de tous, de tout, mais restait persuadée que, forte de cette expérience, de tous ces melons tâtés qui se sont révélés pourris, elle saurait reconnaître l'homme de sa vie au premier coup d'œil. Que les sirènes se mettraient en branle et qu'une voix intérieure lui dirait « c'est lui ». Qu'elle le verrait arriver « beau comme un camion » en cinérama et en technicolor, et que la rencontre serait forcément sublime.

Mais en vérité, elle ne vit rien venir du tout. François était arrivé en catimini dans sa vie, à l'occasion d'un événement qui représentait le comble de la banalité pour une rencontre amoureuse : un mariage ! Elle avait passé la soirée à discuter avec Monsieur Normal sans lui prêter vraiment attention. Elle l'avait revu trois mois plus tard, sans même le reconnaître ! Tout le contraire d'un coup de foudre et pourtant, de fil en aiguille, de confiance en confidences, il était devenu l'homme de sa vie. Le regard de Bettina-Layka sur François avait peu à peu changé. Ses yeux en amande, son sourire si franc et absolu, son nez fort et droit, sa carrure trapue sur des jambes un peu courtes, ses fesses pleines et rondes, ses mains fabuleuses devinrent autant d'ingrédients indispensables à son plaisir amoureux. Elle découvrit le bonheur de s'abandonner dans les bras d'un homme à qui elle pouvait pleinement se fier. Un homme qui l'acceptait toute entière, qui l'aimait pour ce qu'elle était, qui savait contenir les débordements de son imagination. Deux semaines après l'avoir épousé, elle vécut son premier orgasme. François n'avait rien fait de plus ni de différent, mais pour la première fois, le corps de Bettina-Layka se sentit suffisamment en confiance pour se laisser aller. Elle avait connu depuis toutes sortes d'orgasmes, des courts, des interminables, des multiples, des sonores, des plus discrets, certains qui la faisaient pleurer, d'autres qui la faisaient rire. Elle avait aussi enduré quelques hivers sous la couette, bien sûr, des traversées du désert, des périodes de disette mais le printemps revenait toujours, dans son éclatante vivacité. Car elle partageait avec son mari un lien auquel aucun autre amant ne pourrait prétendre, celui de la complicité amoureuse.

Leur couple vivait actuellement une de ses plus belles saisons. Bettina-Layka avait en effet reçu de son éditrice une commande inhabituelle. Surfant sur la vague du « mom porn » qui faisait un tabac en Amérique, sa maison d'édition voulait lancer une collection d'ouvrages érotico-porno chic. Il s'agissait de créer des nouvelles qui respecteraient la mythologie romantique et les ressorts de l'histoire d'amour sans s'arrêter pour autant aux portes de la chambre à coucher. Bettina-Layka avait ainsi l'occasion d'expérimenter un tout nouveau concept : la romance érotique ! Chaque matin, elle s'attelait à l'invention d'une histoire et vivait intensément l'aventure jusqu'à son terme. Elle écrivait comme se font les préliminaires en amour, jouant moins sur l'acte que sur l'anticipation, prenant la lectrice par les sentiments pour faire monter le désir et l'amener aux situations les plus crues, aux fantasmes les plus audacieux. À mesure que l'histoire se construisait, Bettina-Layka devenait ce qu'elle écrivait. Traversée de frissons d'excitation, il lui arrivait d'avoir à se soulager avant de pouvoir terminer sa romance. Mais c'est une fois la fable bouclée, qu'elle prenait pleinement conscience de la plus-value amoureuse qu'elle pouvait tirer de cet exercice de style.

Bettina-Layka avait déjà rédigé deux nouvelles quand elle leva, auprès de son mari, le voile sur ses écrits sulfureux. D'abord effrayé par la crudité des mots qui sortaient de l'imagination de sa femme, François se détendit en apprenant qu'ils ne paraîtraient pas sous son vrai nom. Amusé et gagné par l'enthousiasme de sa femme, il l'aida même à trouver un pseudonyme. Le lendemain, au coucher, elle lui conta par le menu le scénario concocté pour sa troisième nouvelle, tandis qu'il la chambrait gentiment « Fais gaffe, mouille pas trop ». Plus tard, elle osa lui avouer qu'elle venait de lui être infidèle en imaginant une aventure avec sa star favorite. Il ne lui en tint pas rigueur car c'était lui le véritable bénéficiaire de cet engouement : à chaque fois que l'acteur passait à la télé, il retrouvait sous la couette une femme plus volcanique et entreprenante que jamais. Au terme de la cinquième nouvelle, Bettina-Layka lui raconta l'histoire du jour sitôt qu'il fut rentré. Lui se prenait au jeu en se mettant dans la peau du mâle pour imaginer ses réactions et elle s'en inspirait pour injecter des répliques inédites dans son scénario. À la sixième nouvelle, il devint partie prenante, contribuant à parfaire un rebondissement et à trouver un final à la romance. Bettina-Layka se sentait comme Shéhérazade racontant à son sultan de palpitantes histoires pour le tenir en éveil et entretenir sa passion durant mille et une nuits.

La septième histoire fut comme un tournant. François en voulait plus : il voulait entendre sa femme non plus lui raconter mais lui lire l'histoire, telle qu'elle l'avait écrite, dans sa crudité intégrale. Bettina-Layka n'osait pas. Elle n'éprouvait aucune gêne à l'idée que ses lignes licencieuses soient lues par des milliers d'inconnus, mais elle rechignait à les exposer à l'être qui lui était le plus cher, le plus proche, le plus intime.

Pour la convaincre, François sortit son arme fatale : le massage. Il avait dans ses mains un fluide magique qui ne fonctionnait qu'avec sa femme. Il connaissait ses points sensibles, ses zones érogènes les plus improbables : sous le pouce de la main à hauteur du trapèze, au bas du dos entre le sacrum et le rectum, et surtout au niveau des rotules. Une pression du pouce et de l'index sur l'articulation du genou suffisait pour qu'elle frôle l'extase. François proposa donc à sa femme un échange qu'elle pouvait difficilement refuser : massage contre lecture.

Pour mettre Bettina-Layka en condition, son mari avait transformé leur chambre en cocon voluptueux, disposant bougeoirs et bougies tout autour du lit. Il l'avait invitée à se coucher sur le ventre, tandis qu'il chauffait l'huile de massage en la frottant entre ses paumes. Ils étaient tous les deux nus et détendus. Tandis que les mains de son homme commencèrent leur ballet merveilleux sur sa peau, Bettina-Layka entama l'histoire de Rose et de Jacques, en lisant les pages étalées devant ses yeux. Elle arriva en quelques paragraphes aux passages les plus chauds :

« En dépit de son dévouement indiscutable, Jacques n'avait jamais réussi à faire jouir Rose uniquement de sa langue. Il est vrai, à sa décharge, que peu d'hommes maîtrisent cette technique, se ruant sur le sexe de la femme pour le dévorer, imitant ainsi la frénésie goulue qu'ils attendent d'une fellation réussie, oubliant l'essentiel : l'écoute. Entendre le sexe s'éveiller, regarder la femme s'ouvrir, l'accorder comme un instrument de musique, la sentir vibrer, la mettre au diapason, répondre à la demande explicite, même si muette, de ce corps qui résonne. Deviner ainsi qu'il ne réclame pas une langue fellatrice, mais une lèche d'abord délicate, presque effleurée, qui suit la moule palpitante pour peu à peu accentuer la pression et l'amener à l'orgasme, dans un duo sans fausse note. »

Elle se sentait rougir à mesure que l'histoire progressait, sans que l'œuvre de son masseur n'y fût pour grand-chose. François, lui, faisait comme si de rien n'était, ne se montrant pas plus perturbé dans son travail que s'il entendait sa femme lui lire le mode d'emploi du micro-onde. Il lui massait consciencieusement le dos, suivant ses côtes d'un mouvement ferme, insistant sur les points névralgiques de sa colonne vertébrale. Elle reprit sa lecture :

« À l'évidence, Jacques n'était pas musicien dans l'âme. À chaque tentative, Rose, malgré – ou justement – à cause de son excitation extrême, dut lui prêter main forte. La rançon de ses succès masturbatoires, sans doute. Elle avait fini par si bien se connaître, qu'elle perdait patience avec les hommes et, au faîte de son plaisir, ne pouvait résister à la tentation d'accompagner d'un doigté sûr leurs tentatives approximatives. L'envie d'un cunnilingus abouti était ainsi devenue une idée fixe. Pour stimuler Jacques, elle lui proposa le marché suivant : s'il réussissait à la faire jouir sans aucune aide extérieure, elle lui donnerait un avant-goût de son fantasme de plan à trois, en pratiquant une fellation comparative de sa verge à lui et de celle de son meilleur copain ».

Bettina-Layka avait à présent trouvé sa vitesse de croisière, la rougeur avait quitté son visage pour aller se réfugier entre ses lèvres intimes, à l'abri du regard d'autrui. François avait commencé à lui masser les bras et les mains. Elle put constater par un regard en biais que ses paroles ne l'avaient pas laissé indifférent, son sexe était déjà parfaitement tendu, suspendu aux mots qu'elle prononçait. Il est vrai que l'évocation d'une fellation restait un moyen sûr pour rendre une verge attentive. Encouragée par l'écoute active dont faisait preuve son époux, elle continua :

« Jacques avait relevé le défi. Il imposa à Rose quelques conditions préalables. Il lui demanda en particulier de porter l'attirail complet de la parfaite maîtresse. Elle s'était procuré des porte-jarretelles en velours noir, dont elle mit une bonne demi-heure à comprendre le fonctionnement. Elle ajouta des bas noirs, un soutien-gorge en dentelle, un string microscopique, puis se contempla dans le miroir. Jacques avait une fois de plus vu juste : ces accessoires magnifiaient ses courbes tout en longueur, rondeur et robustesse, ses hanches généreuses et son fessier provoquant ».

Les mains de François y étaient justement, sur son fessier provoquant, imprimant un mouvement de moins en moins professionnel. Dans une impulsion qui pouvait être accidentelle, leurs tranches s'infiltraient dans la raie de ses fesses, leurs paumes glissaient entre ses cuisses jusqu'à son duvet intime. Grisée par l'effet qu'elle lui faisait, Bettina-Layka poursuivit sa lecture :

« Malgré ces apprêts et les bonnes volontés en jeu, l'entreprise fut moins facile que prévu. Rose était d'une nature chaude mais difficile à satisfaire. Il fallu à la langue de Jacques quelques longues minutes avant de trouver l'angle parfait : elle, à plat ventre sur le lit et les genoux au sol, le buste en équerre et les jambes écartées, lui, dos à terre, la tête entre les cuisses de Rose, le nez dans son con. Elle, dont les instructions s'étouffaient en râle dans l'oreiller « Oui, c'est ça... c'est là... ne bouge plus... vas-y », lui qui, entre spasmes et friture, essayait d'entendre et de suivre ses confuses directives. C'est ainsi que d'une langue affranchie, recueillant le fruit de l'excitation coulant d'un clitoris balbutiant, Jacques amena patiemment Rose à une jouissance paisible et salvatrice ».

La suite serait pour un autre jour. François venait de retourner Bettina-Layka comme une crêpe, engouffrant sa tête entre ses cuisses avec le même enthousiasme que l'amant de papier. Mais des années de pratique lui avaient donné une longueur d'avance. Il savait parfaitement où, comment et à quel rythme accorder sa langue pour emmener sa femme au septième ciel. Elle y resta d'ailleurs, ivre et comblée, jusqu'au lendemain matin.

Le projet touchant à sa fin, Bettina-Layka décida de planifier son bouquet final pour le soir même. Elle voulait faire d'une pierre deux coups : remercier son mari pour le service lingual rendu en réalisant un de ses fantasmes et utiliser son couple en terrain d'expérimentation pour sa huitième et dernière romance virtuelle. Elle envoya à son mari un SMS : « À mon tour de te faire un cadeau ce soir. Un cadeau avec moi à l'intérieur. Je t'attends à 20 heures pétantes ou sinon, j'offrirai le cadeau à un autre ! ». Elle employa le reste de la journée à parfaire le moindre détail du cadeau, de l'emballage au contenu en passant par la manière de faire.

À 20 heures, en effet, pétantes, François fut accueilli par un chemin de pétales de roses qui le conduisit à la chambre où flottait une odeur de vanille et de cannelle. La pièce avait été complètement transformée pour l'occasion, le lit repoussé contre le mur et le mobilier écarté, à l'exception d'un fauteuil posé bien en évidence à côté d'une console agrémentée d'un sceau à champagne. Cependant, l'essentiel de l'éclairage était dirigé vers l'autre côté de la pièce, où une sorte de scène avait été montée, avec une chaise en son centre. François resta médusé sur le seuil de la porte et la vue de Bettina-Layka, adossée à l'embrasure de la salle de bain, l'accueillant d'un « Salut, beau gosse », acheva de le pétrifier. Elle portait une jupe seyante, un chemisier boutonné sur une poitrine arrogante et un chignon vertigineux qui donnait à sa chevelure rousse une tournure fatale. Elle semblait tout droit sortie de la série Mad Men. Elle s'approcha de lui d'un pas chaloupé à la Christina Hendricks, lui passa un ruban de satin dans le cou et l'entraîna avec elle jusqu'au fauteuil où elle le fit asseoir. Elle lui susurra tout en lui attachant les poignets « On touche avec les yeux, pas avec les mains ». Elle recula d'un pas, appuya sur une télécommande qu'elle jeta ensuite sur le lit et le « Fever » de Peggy Lee contamina la chambre. Elle alla se placer devant la chaise et entreprit un strip-tease bien entraîné, sans jamais, à aucun moment quitter son homme des yeux.

Bettina-Layka se tourna d'abord, dos au public, détacha sa jupe, la fit coulisser sur ses fesses cambrées en la repoussant de ses pouces, révélant un attirail identique à la Rose d'hier : porte-jarretelles en velours, bas et string noirs. Elle marqua un pas de côté et fit valser le vêtement avachi de la pointe de ses escarpins. Reprenant une position de face, elle entreprit d'ouvrir son chemisier, bouton après bouton, révélant une épaule et la recouvrant, procédant de même pour l'autre, avant de se retourner et de laisser choir le chemisier à terre, le regard toujours rivé dans celui de François. Puis, de profil, elle mit un pied sur une chaise, décrocha son bas et le fit rouler sensuellement le long de sa jambe. Elle procéda de même pour l'autre jambe, en fixant François avec une intensité accrue, lui donnant l'impression que c'était ses mains à lui qui la caressaient ainsi. De nouveau, elle lui tourna le dos, dégrafa son soutien-gorge, le fit valser dans le décor et revint de face en gardant les mains sur la poitrine. Sa danse se fit plus lascive, elle empoigna plus fermement ses seins, joua avec les mamelons, mimant un plaisir à peine feint. Elle s'assit le temps de se débarrasser du dernier petit bout de tissu encombrant, puis rampa telle une panthère jusqu'à son homme, au bord de l'apoplexie. Elle lui ouvrit la ceinture et le pantalon. Une bite sur le point de suffoquer en jaillit. Bettina-Layka prit un glaçon du sceau à champagne dans sa bouche, ajouta le sexe impatient de l'homme et fit tournoyer langue et glaçon autour du membre ardent. François se cabra et jouit puissamment, enfonçant son pénis plus profondément dans la bouche de sa femme. Bettina-Layka goba les saccades de semence douce-amère, comme elle le faisait toujours. Elle n'avait jamais compris pourquoi certaines femmes décapitaient le plaisir de l'homme en se retirant au moment de l'éjaculation alors qu'il était tellement plus simple et plaisant de l'avaler.

Les sept et une nuits s'étaient terminées en apothéose et maintenant, quoi ? Bettina-Layka ressenti la vacuité que l'on éprouve parfois après trop de sexe. À présent que son projet était terminé, que ses huit histoires étaient écrites, qu'elle n'aurait plus rien à raconter, leur couple allait-il tomber dans la routine, l'arme de destruction massive des ménages modernes, la mouche tsétsé du rapport amoureux ? Devra-t-elle comme Shéhérazade inventer chaque soir un nouveau fantasme pour lui éviter de mourir ? Malgré les heures torrides qu'elle venait de vivre, elle se voyait mal continuer à sortir le grand jeu au quotidien, cueillir son mari en apparat de femme fatale au pas de la porte le soir venu, se transformer en G.O. de la vie domestique renouvelant son programme tous les jours. Elle n'était pas prête à sacrifier son petit confort à l'autel de la flamme éternelle, à renoncer au tee-shirt/leggings et aux cheveux attachés à la va-vite, comme c'était d'ailleurs le cas ce jour-là. Et pourtant, en rentrant, François la regarda avec les même yeux amoureux, ajoutant même « Dis-donc, t'es mimi coiffée comme ça ». Il se frotta les mains en voyant les surgelés sortir du four « Une pizza, c'est exactement ce dont j'avais envie ». Il s'assit à côté de sa femme, lui massa la rotule d'une main et engouffra de l'autre une tranche dans sa bouche avec un « mmm » gourmand dont on ne savait trop s'il s'adressait à la pizza ou à l'épouse. Elle lui servit un jus de raisin à la couleur suspecte, et ils pouffèrent de rire en se rappelant la fois où François avait englouti un verre de supposé jus de prune en monodose qui s'avéra en fait être du shampoing. Ils firent l'amour ce soir-là en territoire connu, sans fantaisie particulière, dans la position du missionnaire de surcroît, et jouirent dans une même extase.

L'âme et le corps comblés, Bettina-Layka se rendit compte que toutes ces histoires de routine, c'était des conneries, finalement. Vivre en couple, c'est aussi le plaisir de se retrouver tous les jours, de partager les petits gestes du quotidien, de compter l'un sur l'autre, de se connaître, de se deviner, de se compléter. La routine n'était pas une ennemie mais une alliée qui avait juste besoin, parfois, d'être un peu secouée. Elle se dit, dans un soupir de contentement, qu'elle avait bien le temps d'imaginer son prochain tremblement de chair, puis s'endormit doucement dans les bras de l'être aimé.

Idées de scénarios
à vous de jouer !

45. Procéder à des massages sensuels, en jouant aux mains baladeuses.

46. Lire à haute voix des histoires cochonnes (Kama Sutra, littérature érotique, témoignages d'expériences) ou mieux, en écrire ou en inventer pour l'occasion.

47. Effectuer un strip-tease, idéalement en se préparant et en s'entraînant avant, pour ne pas s'emmêler dans les pas, les vêtements ou le tapis.

48. Souffler le chaud et le froid, mettre un glaçon dans la bouche ou laper un quartier de citron pour optimiser les sensations lors du rapport oral.

49. Avaler le sperme, un produit sain, bio, riche en protéines et en cellules fraîches, aux vertus antidépressives et rajeunissantes reconnues.

50. Soigner les préliminaires, l'environnement, l'ambiance, en flattant tous les sens par la déco, les sons, les parfums, la lumière, les textures, les goûts. Transformer le lieu des ébats en cocon sensuel ou en lupanar voluptueux.

Pour l'éditeur, le principe est d'utiliser des papiers composés de fibres
naturelles, renouvelables, recyclables et fabriquées à partir de bois issus
de forêts qui adoptent un système d'aménagement durable.
En outre, l'éditeur attend de ses fournisseurs de papier qu'ils s'inscrivent
dans une démarche de certification environnementale reconnue.

Imprimé en Espagne par Unigraf SL
Dépôt légal : janvier 2013
ISBN : 978-2-01-231213-5
23/1213/0